Chère lectrice,

La nouvelle année, n'est-ce pas le moment idéal pour faire des projets, prendre de bonnes résolutions ? C'est aussi le moment de découvrir, dans votre collection Azur, de nouveaux et merveilleux romans. Et c'est donc avec un immense plaisir que je vous présente deux trilogies inédites dans lesquelles vous pourrez vous plonger dès le 1er janvier.

Avec *Un odieux ultimatum* (Jennifer Hayward, Azur n° 3552), vous ferez la connaissance de Rafael, l'aîné de la fratrie De Campo : un homme très sexy – et impitoyable. Lui et ses deux frères sont de redoutables hommes d'affaires qui ont voué leur vie au vignoble familial. Mais seront-ils de taille face à la passion ? C'est ce que je vous propose de découvrir dans la trilogie « Trois héritiers à aimer ».

Et pour celles qui, en ces longs mois d'hiver, ne rêvent que de sable chaud et de déserts brûlants, ne ratez pas le premier tome de la nouvelle trilogie de Sharon Kendrick : « Les secrets du désert ». Ce mois-ci, c'est Sarah et Suleiman qui ouvrent le bal dans *La fiancée des sables* (Azur n° 3553). Je suis sûre que ce couple prêt à braver tous les interdits par amour vous touchera autant qu'il m'a émue.

Je vous souhaite un excellent mois de lecture et une très bonne année !

La responsable de collection

D0317303

Un serment pour Amber

LYNNE GRAHAM

Un serment pour Amber

collection Azur

Collection : Azur

Cet ouvrage a été publié en langue anglaise
sous le titre :
THE DIMITRAKOS PROPOSITION

Traduction française de
ANNE-LAURE PRIEUR

HARLEQUIN®
est une marque déposée par le Groupe Harlequin
Azur® est une marque déposée par Harlequin

Si vous achetez ce livre privé de tout ou partie de sa couverture, nous vous signalons qu'il est en vente irrégulière. Il est considéré comme « invendu » et l'éditeur comme l'auteur n'ont reçu aucun paiement pour ce livre « détérioré ».

Toute représentation ou reproduction, par quelque procédé que ce soit, constituerait une contrefaçon sanctionnée par les articles 425 et suivants du Code pénal.

© 2014, Lynne Graham.
© 2015, Traduction française : Harlequin.

Tous droits réservés, y compris le droit de reproduction de tout ou partie de l'ouvrage, sous quelque forme que ce soit.

Ce livre est publié avec l'autorisation de HARLEQUIN BOOKS S.A.

Cette œuvre est une œuvre de fiction. Les noms propres, les personnages, les lieux, les intrigues, sont soit le fruit de l'imagination de l'auteur, soit utilisés dans le cadre d'une œuvre de fiction. Toute ressemblance avec des personnes réelles, vivantes ou décédées, des entreprises, des événements ou des lieux, serait une pure coïncidence.

HARLEQUIN, ainsi que H et le logo en forme de losange, appartiennent à Harlequin Enterprises Limited ou à ses filiales, et sont utilisés par d'autres sous licence.

Le visuel de couverture est reproduit avec l'autorisation de :

HARLEQUIN BOOKS S.A.

Tous droits réservés.

HARLEQUIN
83-85, boulevard Vincent-Auriol, 75646 PARIS CEDEX 13.
Service Lectrices — Tél. : 01 45 82 47 47

www.harlequin.fr

ISBN 978-2-2803-2686-5 — ISSN 0993-4448

1.

— Après tout ce que vous avez fait pour DT Industries, le testament de votre père est des plus injustes, convint Stevos, l'avocat d'Acheron.

Acheron Dimitrakos, Ash pour les intimes, resta silencieux. Lui, d'ordinaire impassible, peinait aujourd'hui à garder son sang-froid. Il n'avait jamais fait confiance à qui que ce soit. A Angelos, son père, pas plus qu'à un autre. De là à imaginer que le vieil homme menacerait sa position au sein de DT Industries, la société qu'il avait redressée à la sueur de son front…

Les termes du testament étaient simples. S'il ne se mariait pas dans l'année, la moitié de DT Industries reviendrait à sa belle-mère et ses enfants, déjà bénéficiaires d'un legs plus que généreux.

Impensable !

Un tel chantage allait à l'encontre des principes moraux auxquels il avait cru son père farouchement attaché. Cela prouvait bien que l'on ne pouvait réellement faire confiance à personne. Pas même à ses proches, prêts à vous planter un poignard dans le dos à la première occasion.

— DT m'appartient, assena-t-il avec humeur.

— Hélas ! pas sur le papier, expliqua Stevos. Le transfert des parts de votre père n'apparaît nulle part. Même s'il est indiscutable que c'est vous qui dirigez la société.

Regardant sans le voir le panorama au-delà de la vaste

baie vitrée de son luxueux bureau londonien, Ash resta silencieux un moment.

— Un procès pour contester le testament nuirait à la réputation de la société, dit-il enfin.

— En effet, approuva l'avocat. Il serait plus judicieux de vous marier.

— Mon père savait pertinemment que ça n'a jamais été dans mes intentions. C'est pour cette raison qu'il m'y oblige.

A la pensée de la femme que son malavisé de père espérait lui faire épouser, une folle furieuse, ni plus ni moins, Ash serra les poings.

— Je ne veux ni femme ni enfants. Ma vie telle qu'elle est me convient parfaitement !

Stevos se racla la gorge. C'était la première fois qu'il voyait Acheron Dimitrakos manifester sa colère. Ou même une quelconque émotion… Le jeune millionnaire grec à la tête de DT Industries se montrait habituellement plus glacial qu'un iceberg. Surtout avec ses conquêtes, si l'on en croyait les propos de nombreuses ex-maîtresses rapportés par les tabloïds. Sa froideur, sa réserve, son pragmatisme dénué d'humanité étaient légendaires. A tel point qu'on lui prêtait d'avoir interdit à l'une de ses assistantes sur le point d'accoucher de quitter son poste !

— Si je puis me permettre, ce ne sont pas les candidates qui manquent…, observa prudemment Stevos.

Il songea à sa femme, qui défaillait presque chaque fois qu'elle voyait sa photo.

— Le défi sera moins de *trouver* une épouse que de la *choisir*…

Ash ravala une réplique acerbe. Après tout, le petit homme rondouillard ne cherchait qu'à l'aider, même s'il ne faisait qu'enfoncer des portes ouvertes. Bien sûr qu'il lui suffisait de claquer des doigts pour trouver une épouse ! Et il savait exactement pourquoi.

L'argent.

Il possédait plusieurs jets privés, de luxueuses villas

à travers le monde, et un personnel prêt à satisfaire ses moindres caprices, tout comme ceux de ses invités — un dévouement qu'il rémunérait d'ailleurs grassement. Au lit, il jouissait d'une réputation d'amant exceptionnel, mais la cupidité dans le regard des femmes tendait à calmer sa libido. De plus en plus souvent, avant même le corps de rêve qui s'offrait, c'était cette cupidité qu'il remarquait, ce qui le privait de nombreuses opportunités. Or, le sexe était aussi vital pour lui que l'air qu'il respirait. Vénalité et manipulation étaient monnaie courante dans ce domaine, alors pourquoi le rebutaient-elles autant ?

Il méprisait cette fibre sensible, profondément enracinée en lui.

Le pire était toutefois le but à peine voilé de cet odieux testament. L'aveuglement de son père le consternait. Comment Angelos avait-il pu délibérément ignorer sa position ? Six mois avant sa mort, ils s'étaient violemment querellés à ce sujet, après quoi Ash avait cessé toute visite. Il avait bien essayé d'en discuter avec sa belle-mère, Ianthe, mais personne ne l'avait écouté. Son père moins que quiconque, abusé par la femme qu'il avait élevée depuis toute petite et considérait comme l'épouse idéale pour son fils unique.

— Bien sûr, rien ne vous empêche d'ignorer le testament et d'acheter les parts de votre belle-mère…

La voix de l'avocat le tira de ses réflexions.

— Je ne paierai pas pour ce qui m'appartient de droit, répondit-il sèchement. Merci pour votre temps, Stevos.

— Je vais mettre nos meilleurs juristes sur l'affaire, déclara l'avocat avant de prendre congé.

Bien qu'il doutât qu'une solution puisse être trouvée, Ash hocha la tête. Son père avait certainement lui aussi sollicité un avis juridique. Jamais il n'aurait inclus une telle clause dans son testament sans s'être préalablement assuré de son caractère incontestable.

Une épouse…

Très jeune, il avait décidé qu'il n'aurait ni femme ni

enfants. La fibre paternelle avait dû sauter une génération. Il n'avait nulle envie d'un héritier qui lui ressemble et suive ses traces, et encore moins de transmettre cette part d'ombre qu'il gardait enfouie au fond de lui.

D'ailleurs, il détestait les enfants. Son peu d'expérience avec eux l'avait conforté dans l'idée qu'ils étaient casse-pieds et bruyants. Quel adulte sain d'esprit voudrait s'encombrer d'un petit monstre réclamant son attention vingt-quatre heures sur vingt-quatre ? Et quel homme se satisferait d'une seule amante ? La même femme dans son lit, nuit après nuit, semaine après semaine…

Cette perspective lui donnait des sueurs froides.

Il devait agir, et vite ! Avant que la nouvelle ne s'ébruite et menace l'entreprise qui était toute sa vie.

— M. Dimitrakos reçoit *uniquement* sur rendez-vous, répéta la réceptionniste avec hauteur. Veuillez partir, mademoiselle Glover, ou je serai contrainte d'appeler la sécurité.

Pour toute réponse, Tabby se laissa choir dans l'un des confortables fauteuils de la réception. En face d'elle était assis un homme rondouillard, qui parlait avec animation dans son portable tout en feuilletant un dossier posé sur ses genoux.

Tabby baissa les yeux sur sa tenue. Sa mise négligée jurait avec le cadre luxueux, ce qui n'améliorait en rien sa confiance en elle. Le fait est qu'elle n'avait plus rien de décent à se mettre et ne comptait plus les nuits blanches qu'elle avait enchaînées. Elle était désespérée.

Il avait fallu cela pour la pousser à réclamer une entrevue avec l'ordure qui avait rejeté toute responsabilité envers l'enfant qu'elle aimait de tout son cœur. Acheron Dimitrakos n'était qu'un mufle arrogant. Ses exploits de don Juan détaillés dans la presse à scandale l'avaient d'ailleurs confortée dans sa piètre opinion de lui. Cet homme riche à millions avait tourné le dos à Amber, sans exprimer le moindre désir de rencontrer Tabby en sa qualité de cotuteur, ni même se soucier du bien-être de la fillette !

La réceptionniste mit sa menace à exécution et appela ostensiblement la sécurité — sans doute pour l'effrayer avant l'arrivée des agents. Tabby se raidit mais ne bougea pas. Elle se creusait les méninges en quête d'un plan B. A l'évidence, sa visite surprise courait droit à l'échec, mais quel choix avait-elle ? Cet odieux personnage représentait son dernier espoir…

Le destin lui offrit un coup de pouce inattendu. Elle perdit plusieurs secondes à fixer le ténébreux homme d'affaires qui traversait le hall d'accueil d'un pas pressé, plus imposant encore que sur les photos de magazines. Puis elle réagit et, malgré la barrière de gardes du corps, se leva et s'élança à sa poursuite.

— Monsieur Didmirat… Monsieur Dimitrakos ! appela-t-elle.

Quelle idée, aussi, d'avoir un nom si compliqué !

A la seconde où le milliardaire se retournait, les agents de la sécurité la rattrapèrent.

— Je suis… Tabby Glover, la tutrice d'Amber…, dit-elle, hors d'haleine, alors que deux paires de bras la tiraient en arrière. Il faut à tout prix que je vous parle ! J'ai bien essayé de prendre rendez-vous, mais il s'agit d'une urgence…

Ash serra les poings. La sécurité laissait vraiment à désirer pour qu'une folle puisse ainsi l'acculer à deux pas de son bureau ! Il étudia brièvement l'intruse : une femme menue, quelconque, vêtue d'une veste usée et d'un pantalon de jogging sur des baskets. Ses cheveux clairs étaient attachés en queue-de-cheval, son visage, vierge de tout maquillage. Pas du tout son genre.

C'est alors qu'il remarqua ses yeux, d'un bleu saisissant tirant sur le violet.

— S'il vous plaît ! insista-t-elle. Le père d'Amber était un membre de votre famille…

— Je n'ai pas de famille, la coupa-t-il sèchement.

Puis, se tournant vers l'équipe de sécurité :

— Escortez-la dehors et veillez à ce que ce genre d'incident ne se reproduise pas.

L'air choqué, la femme resta un instant sans voix puis elle se mit à l'invectiver dans un langage digne des bas quartiers. Le regard noir qu'il lui lança l'interrompit net.

— Monsieur Dimitrakos…

Stevos avait quitté son fauteuil près du bureau de la réceptionniste et s'avançait vers eux. La femme lui jeta un regard surpris.

— L'enfant… Vous vous rappelez sans doute la proposition de tutelle de feu votre cousin, que vous avez déclinée il y a quelques mois ? continua l'avocat d'un ton empreint de respect.

Ash fronça les sourcils à ce vague souvenir.

— Eh bien ?

— Espèce d'ordure ! s'exclama la femme, l'air outré. Je vais tout raconter à la presse ! C'est tout ce que vous méritez. Multimilliardaire et incapable de faire le bien…

— *Siopi !* Taisez-vous ! ordonna Ash en grec puis en anglais.

— Et qui va m'y obliger ? Vous et votre armée de gorilles ? répliqua-t-elle en le toisant.

— Que veut-elle ? demanda-t-il, s'adressant à son avocat comme si elle n'était pas là.

— Peut-être devrions-nous en discuter dans votre bureau, suggéra Stevos.

Ash sentait l'impatience le gagner. Cela faisait à peine trois jours qu'il était revenu des funérailles de son père, décédé brutalement d'une crise cardiaque. En plein deuil, il se retrouvait confronté à un testament pour le moins frustrant, et voilà qu'on lui imposait un drame familial autour d'une enfant qu'il n'avait jamais vue et dont il se souciait comme d'une guigne !

Troy Valtinos… Oui, la mémoire lui revenait, à présent. Un cousin au troisième degré qu'il n'avait jamais rencontré, mort dans un accident de voiture quelques mois plus tôt. Le jeune homme l'avait nommé cotuteur — avec cette Tabby Glover — de sa fille en cas de décès. Une décision aussi stupide qu'inexplicable, à ses yeux. Il était célibataire, sans enfants ni famille, et voyageait sans cesse. Que diable ferait-il d'un bébé ?

— Désolée de vous avoir insulté, intervint la femme qui semblait s'être un peu calmée. Je n'aurais pas dû m'emporter…

— Votre vulgarité dépasse tout ce que j'ai pu entendre, répondit Ash. Libérez-la, ajouta-t-il à l'intention des agents de sécurité. Vous la mettrez dehors quand j'en aurai fini avec elle.

La tête haute, elle rajusta sa veste. Il en profita pour étudier l'ovale délicat de son visage, s'attardant sur la bouche charnue — une bouche qui, quelques secondes plus tôt, l'accablait d'insultes alors qu'elle aurait pu être tellement plus agréablement employée… Un éclair de désir le traversa, ce qui ne fit qu'empirer son humeur. Il y avait un moment qu'il n'avait plus satisfait sa libido exigeante. Que son corps réagisse à une femme aussi vulgaire était alarmant.

— Vous avez cinq minutes, lâcha-t-il à contrecœur.

— Cinq minutes alors que le bonheur d'une enfant est en jeu ? Quelle générosité ! ironisa-t-elle.

Une vive inimitié s'empara d'Ash. Il n'était pas habitué à une telle impolitesse, surtout de la part d'une femme.

— Votre vulgarité n'a d'égale que votre insolence…

— Au moins, maintenant, vous m'écoutez. La politesse ne m'avait jusqu'à présent menée nulle part.

*
* *

En les suivant, Tabby se remémora ses tentatives répétées pour prendre rendez-vous, en vain. Il pouvait bien la trouver vulgaire et insolente. Que lui importait l'opinion d'un snob corrompu par l'argent ? Malgré tout, elle regrettait son accès d'agressivité ; ce genre d'approche était contre-productif. Acheron Dimitrakos était le seul à pouvoir aider Amber, raison pour laquelle elle devait à tout prix toucher sa corde sensible. Elle, célibataire et sans le sou, ne ferait jamais un tuteur acceptable aux yeux des services sociaux.

— Parlez, intima Acheron sitôt la porte de son bureau fermée.

— J'ai besoin de votre aide pour obtenir la garde d'Amber, expliqua Tabby. Je suis la seule mère qu'elle ait jamais connue ; elle m'est très attachée. Malheureusement, les services sociaux ont décidé de la placer en famille d'accueil, et ce dès vendredi…

— N'est-ce pas la meilleure solution ? intervint Stevos. Un enfant est un fardeau considérable pour une femme seule vivant d'allocations.

Sans que ni l'un ni l'autre de ses interlocuteurs ne s'en aperçoive, Ash s'était pétrifié aux mots « famille d'accueil ». C'était un secret bien gardé : Ash, dont la mère était l'une des plus riches héritières de Grèce, avait pourtant vécu deux ans en familles d'accueil, ballotté de l'une à l'autre, tour à tour entouré d'affection, négligé ou victime de mauvais traitements. Cette expérience l'avait marqué à vie.

— Je ne touche plus d'allocations depuis la mort de Sonia, la mère d'Amber ! protesta Tabby avec indignation. C'est pour m'occuper d'elle jusqu'à la fin que j'ai cessé de travailler.

Elle se tourna vers lui.

— Je ne suis pas une intrigante. Jusqu'à l'année dernière, Sonia et moi dirigions une petite entreprise florissante. Puis Troy est décédé, et la santé de Sonia s'est dégradée.

A mon tour, j'ai tout perdu. Amber est toute ma vie mais, bien que j'aie été nommée cotutrice, l'absence de liens de sang ne me donne aucun droit devant la justice…

— Pourquoi vous adresser à moi ? l'interrompit-il d'un ton abrupt.

Elle roula des yeux, l'air excédé.

— Troy vous tenait en haute estime…

Ash se crispa. Toute cette histoire ne le concernait pas. Pourtant, la pensée de cette fillette innocente envoyée en famille d'accueil éveillait en lui une foule de réactions contradictoires, exacerbées par ses propres souvenirs.

— Je n'ai jamais vu Troy de ma vie.

— Il a pourtant essayé de vous rencontrer. Sa mère, Olympia, avait travaillé pour la vôtre…

Ce nom remua quelque chose en Ash. Olympia était une employée qui s'était occupée de sa mère, naguère. Quand la proposition de tutelle lui était parvenue, il n'avait pas réalisé que Troy Valtinos était le fils d'Olympia, car il avait toujours connu cette dernière sous son nom de jeune fille, Carolis. Il lui semblait vaguement se souvenir qu'elle était enceinte lorsqu'elle avait quitté le service de sa mère. Cet enfant ne pouvait qu'être Troy…

— Troy rêvait de trouver du travail à Londres, poursuivit Tabby. Vous étiez son idole.

— Pardon ?

— La flatterie ne vous mènera nulle part, assena Stevos.

— Ce n'est pas de la flatterie ! rétorqua-t-elle, en foudroyant Stevos du regard.

Puis elle reporta son attention sur Ash.

— C'est la vérité. Troy admirait votre sens des affaires, au point de marcher dans vos pas. Il vous considérait aussi comme le chef de famille, raison pour laquelle il vous a nommé cotuteur dans son testament.

— Et moi qui croyais bêtement que c'était à cause de ma fortune ! ironisa Ash.

— Vous n'êtes vraiment qu'un pauvre type aigri et

insensible ! cracha-t-elle avec une grimace de dégoût. Troy était un homme bien. Croyez-vous qu'il s'attendait à mourir à l'âge de vingt-quatre ans ? Ou à ce que sa femme le suive dans la tombe à peine quelques heures après la naissance de leur enfant ? Troy n'aurait jamais accepté la charité de qui que ce soit !

— Il a pourtant laissé sa famille sans ressources.

— Il était sans emploi. Et ils n'étaient pas sans ressources. Sonia gagnait assez d'argent grâce à notre entreprise. Comment auraient-ils pu imaginer que moins d'un an après avoir rédigé ce testament, ils seraient morts tous les deux ?

— Me nommer cotuteur sans mon accord est inacceptable. Il aurait dû me consulter.

Elle garda le silence. De toute évidence, il avait marqué un point, même si elle refusait de l'admettre.

— Peut-être, mademoiselle Glover, pourriez-vous nous expliquer ce que vous attendez de M. Dimitrakos ? intervint une fois de plus Stevos, déconcerté par l'antagonisme palpable qui régnait entre son employeur, d'ordinaire imperturbable, et sa visiteuse.

— Je souhaite que M. Dimitrakos soutienne ma demande d'adoption d'Amber.

— Est-ce vraiment réaliste, mademoiselle Glover ? D'après mon expérience, les Services Sociaux exigent des parents candidats un mode de vie stable. Or, si vous n'avez ni argent, ni logement décent, ni partenaire…

— Qu'est-ce qu'un partenaire a à voir là-dedans ? riposta-t-elle, sur la défensive. Croyez-vous que j'aie eu le temps de chercher un mari, ces derniers mois ?

— Votre approche l'aurait certainement fait fuir, ne put s'empêcher de railler Ash, cinglant.

Piquée au vif, elle marcha férocement sur lui.

— Vous m'accusez de manquer de manières ? Et vous, alors ?

— Mademoiselle Glover, je suggérais seulement qu'avoir un partenaire donnerait plus de poids à votre dossier, se hâta de préciser Stevos. Il est plus facile d'élever un enfant à deux que seul…

— Hélas ! pour moi, les « partenaires » ne poussent pas sur les arbres, répliqua sèchement Tabby.

Stevos contempla pensivement la jeune femme qui se tenait devant lui. Soudain, son visage s'illumina, et il se tourna vers lui.

— Vous pourriez peut-être vous aider mutuellement, dit-il en grec.

— Tiens donc ? Et de quelle façon ?

— Elle a besoin d'un partenaire et d'un foyer stable pour faire valoir sa demande d'adoption. De votre côté, vous cherchez une épouse. Avec un peu de négociation juridique et quelques compromis, vous parviendriez tous les deux à vos fins sans que personne n'apprenne la vérité.

Ash n'en croyait pas ses oreilles. Le sous-entendu était clair, mais qu'une telle suggestion sorte de la bouche de Stevos le laissait médusé.

— Vous perdez la tête ! Cette fille est d'une vulgarité sans nom. Dieu seul sait d'où elle sort…

Il détailla Tabby Glover avec dédain, consterné par la vision pitoyable qu'elle offrait.

— Vous avez les moyens de la rendre présentable, répliqua l'avocat, pragmatique. Je ne parle pas d'une *vraie* épouse, mais d'une que vous paieriez pour tenir le rôle. Ce mariage réglerait tous vos problèmes.

Sauf un : Tabby Glover, songea Ash. Cette femme était à mille lieues de ses exigences sophistiquées. D'un autre côté, ce qu'il venait d'apprendre sur Troy Valtinos et sa mère Olympia troublait sa conscience.

— Je ne peux pas l'épouser, dit-il. Elle ne me plaît pas…

— Est-ce *vraiment* important ? Après tout, il ne s'agit que de protéger légalement votre société. Vous pourrez toujours l'exiler dans l'une de vos propriétés où elle ne vous gênera pas.

— Le plus important, c'est l'enfant. J'ai été trop prompt à me décharger de mes responsabilités. Je veux la voir.

Alarmé par cette déclaration qui ressemblait si peu à son patron, Stevos s'apprêtait à répondre quand Tabby Glover s'avança, les poings sur les hanches.

— Vous comptez continuer longtemps à bavarder en grec comme si je n'étais pas là ?

— Si seulement…, murmura Ash d'une voix suave.

Elle le foudroya du regard.

— Je me demande combien de femmes vous ont déjà giflé…

— Aucune.

Une lueur amusée dansait dans les prunelles sombres du milliardaire.

Amber, se répéta Tabby. Elle était là pour Amber. Seul le bien-être de la fillette comptait. Raison pour laquelle elle devait absolument gagner Acheron Dimitrakos à sa cause, aussi méprisable soit-il.

Son sourire lui fit l'effet d'un seau d'eau glacée. Il était vraiment à couper le souffle, et ses moqueries la blessaient d'autant plus. Non qu'elle entretînt la moindre illusion sur son propre sex-appeal… Elle avait toujours eu de nombreux amis hommes, mais très peu de petits amis. Sonia pointait du doigt son esprit farouchement indépendant et sa langue bien pendue, des qualités réputées peu féminines, qui lui avaient néanmoins permis de surmonter bien des épreuves…

— Vous voulez rencontrer l'enfant ? demanda Stevos, en anglais cette fois.

Un sourire teinté d'espoir éclaira le visage de la jeune femme. Ash scruta ses traits délicats et se surprit à admirer leur beauté. Un joyau se cachait-il derrière la furie belliqueuse ? Il aimait les femmes féminines. Très féminines. Tabby Glover était vulgaire et négligée — mais aussi la tutrice de la petite-fille d'Olympia, se rappela-t-il. C'était l'enfant, l'élément central de l'équation. *Amber.* Il se maudit de ne pas avoir appris le lien de parenté plus tôt, maudit son aversion pour toute forme d'engagement. Il n'avait ni famille ni relations amoureuses, aucune responsabilité en dehors de sa société. Cette vie lui convenait parfaitement, mais pas au point de renier toute décence morale. Quand tous les autres ne voyaient en lui qu'un fauteur de troubles, Olympia s'était toujours montrée gentille avec lui. Cette gentillesse était l'un des rares bons souvenirs qu'il gardait de son enfance.

— Oui, confirma-t-il. Je veux la rencontrer au plus vite.

— Qu'est-ce qui vous a fait changer d'avis ? questionna Tabby, manifestement stupéfaite de ce revirement.

— J'aurais dû m'enquérir personnellement de sa situation, et ce dès la réception de la proposition de tutelle…

Pour la première fois, Ash déplorait le système performant qu'il avait instauré autour de lui afin que rien ne le distraie de son travail.

— Mais je compte bien réparer mon erreur, ajouta-t-il avec résolution. Autant vous prévenir, mademoiselle Glover : je ne soutiendrai votre demande d'adoption que si je la juge acceptable. Stevos, je vous remercie pour vos conseils. Quant à votre dernière suggestion…

Il croisa le regard de l'avocat.

— Je crains fort qu'elle ne relève de l'utopie.

2.

— Vous auriez pu m'accorder un délai, grommela Tabby après avoir indiqué son adresse au chauffeur.

Elle habitait un petit appartement en sous-sol que lui prêtait son ami Jack, promoteur immobilier. Elle, Jack et Sonia s'étaient liés d'amitié au foyer où ils avaient passé une partie de leur adolescence. Ils se considéraient un peu comme des frères et sœurs.

Une agréable odeur de cuir l'assaillit comme elle prenait place dans la luxueuse limousine d'Acheron Dimitrakos. Difficile de ne pas être impressionnée par le minibar et l'équipement hi-fi dernier cri. Elle s'efforça néanmoins de garder une expression impassible. Le moment où elle avait passé les portes de l'immeuble, tenues par les mêmes agents prêts à la jeter dehors une heure plus tôt, avait été quant à lui particulièrement jubilatoire…

— C'est tout l'intérêt d'une visite surprise, répondit-il en ouvrant son ordinateur portable. Je veux voir où vous vivez sans que vous me cachiez quoi que ce soit.

Tabby serra les dents. Qu'aurait-elle pu cacher dans le minuscule studio qu'elle partageait avec Amber ? C'était uniquement grâce à Jack qu'elle avait pu échapper au foyer de sans-abri et ainsi garder la fillette. Apparemment, sa longue amitié avec Sonia ne valait rien face au vague lien de parenté entre Troy et Acheron… La grand-mère de Troy était la cousine de la mère d'Acheron, ce qui faisait du milliardaire, quoi ? Un cousin d'Amber au énième degré ? Tabby, elle, connaissait Sonia depuis l'âge de dix ans !

Elles avaient fait connaissance au foyer pour enfants, où toutes deux étaient persécutées par les plus grands. Sonia avait grandi dans une famille aimante, choyée par ses parents avant leur décès tragique dans un accident. Issue d'un environnement violent dont les autorités l'avaient retirée de force, Tabby, elle, avait l'habitude de se défendre. Oh ! il y avait bien eu quelques tentatives pour rapiécer sa famille, une ou deux rencontres supervisées avec ses parents. Mais ces derniers s'étaient montrés plus attachés à leur mode de vie irresponsable qu'à leur propre enfant, et le contact avait été rompu. Elle ignorait ce qu'ils étaient devenus.

Acheron était concentré sur son écran d'ordinateur, visiblement peu enclin à engager la conversation. Elle l'étudia du coin de l'œil. L'avait-il déjà reléguée parmi les rebuts de la société ? Probablement. Quelques secondes avaient dû lui suffire pour la juger, et ce sur la seule base de son apparence. Et peut-être de son langage, s'avoua-t-elle, honteuse de son accès de vulgarité.

Mais savait-il seulement ce que cela faisait d'être au bout du rouleau ? Elle en doutait. Il paraissait si… maître de lui. Elle jeta un regard plein de rancœur sur le profil fier et altier, les cheveux de jais qui bouclaient sur la nuque, les cils incroyablement longs — plus que les siens, nota-t-elle avec envie.

A vrai dire, il était encore plus séduisant en vrai que dans les magazines, ce qui l'agaçait. Elle avait cru les images retouchées afin d'exagérer sa beauté ténébreuse. Il n'en était rien ; la preuve se trouvait sous ses yeux. Ses pommettes aristocratiques, son nez aquilin, ses lèvres sensuelles lui conféraient la majesté d'une statue grecque, mise en valeur par une haute stature et de longues jambes musclées.

La perfection masculine incarnée…

Mais aussi un homme froid et insensible, compléta-t-elle, résolue à se focaliser sur ses défauts. Son refus catégorique d'aider la fille de Troy et Sonia le prouvait. Elle se demandait d'ailleurs ce qui le poussait à s'y intéresser aujourd'hui. Peut-être lui avait-elle donné mauvaise conscience, signe qu'il en avait bien une, tout compte fait. Assez pour appuyer sa demande d'adoption ? Plus important encore : son opinion aurait-elle la moindre influence sur les services sociaux ?

Ash peinait à rester concentré. A côté de lui, Tabby Glover ne tenait pas en place, et son agitation le dérangeait. Il coula un regard dans sa direction, notant avec irritation les ongles rongés, les baskets élimées, le jean usé qui moulait ses longues cuisses fuselées, et réprima un soupir. Malgré ses beaux discours à Stevos, il n'aimait guère la voie dans laquelle il s'était engagé. Après tout, que savait-il des besoins d'un enfant ? Et pourquoi culpabilisait-il d'avoir déjà décidé de retirer Amber à sa tutrice ?

Sitôt la voiture arrêtée, Tabby se hâta d'en descendre et dévala les quelques marches jusqu'à la porte d'entrée. L'instant de vérité, pensa-t-il pendant qu'elle tournait nerveusement la clé dans la serrure.

Il se figea dans le hall, effaré par le spectacle qui s'offrait à lui : des murs en Placoplatre recouverts d'échafaudages, des seaux et des outils éparpillés sur le sol, des fils électriques pendant un peu partout… Elle déverrouilla la première porte à gauche de l'entrée, et il la suivit à l'intérieur.

Les meubles étaient les uns contre les autres dans la pièce exiguë. Un mini-four et une bouilloire électrique occupaient une table parsemée de miettes, et le peu d'espace restant disparaissait sous divers équipements pour enfant. Sur le lit, une adolescente faisait ses devoirs, ses livres étalés autour d'elle. A l'arrivée de Tabby, elle les rassembla et se leva.

— Amber a été adorable. Je l'ai changée et lui ai donné son biberon.

— Merci, Heather. Je te suis reconnaissante de ton aide, dit Tabby à la lycéenne, sa voisine du dessus.

Amber était assise dans son petit lit, coincé entre celui de Tabby et le mur. Ash fut immédiatement frappé par ses boucles noires et ses grands yeux chocolat.

— Comment va ma puce ? demanda Tabby en la soulevant dans ses bras.

Un large sourire éclaira le visage d'Amber, qui s'accrocha à sa tutrice de ses petits bras potelés, ses grands yeux curieux fixés sur lui.

— Quel âge a-t-elle ? demanda-t-il.

— Un peu plus de six mois. Vous devriez le savoir, répondit Tabby d'un ton de reproche.

— Les autorités savent-elles où vous logez ?

Le rouge monta aux joues de la jeune femme.

— Non. Je leur ai donné l'adresse de Jack, l'ami propriétaire de ce studio. Il a la bonté de me le prêter en attendant de le rénover pour le vendre. Il n'a pas assez de place chez lui pour nous accueillir.

— Vous proposez d'adopter l'enfant et de l'élever dans ce trou à rats ?

— Ce n'est pas un trou à rats ! protesta Tabby en reposant Amber dans son lit. Le studio est propre. Il y a le chauffage et l'électricité, ainsi qu'une salle de bains fonctionnelle derrière cette porte.

Elle désigna le mur opposé d'un bras tremblant qu'elle s'empressa d'abaisser. Les larmes lui piquaient les yeux et le sang lui battait aux tempes sous l'effet du stress.

— Ce n'est pas idéal, mais je fais de mon mieux.

— Ce n'est pas assez, trancha Ash. Un enfant n'a pas sa place dans un tel taudis.

Il se tut comme elle défaisait sa queue-de-cheval, libérant un flot de cheveux dorés qui cascada jusqu'à sa taille. A en juger par l'absence de racines foncées, sa blondeur était naturelle, un détail qui ne le laissa pas indifférent.

— Je fais de mon mieux, répéta-t-elle avec obstination.

Apparemment mortifiée par sa persistance à dénigrer son appartement, elle baissa la tête.

— Comment gagnez-vous votre vie ? s'enquit-il d'un ton sévère.

— Je fais des ménages, chez les clients qui me sont restés fidèles après la fermeture de mon entreprise. Ils sont le plus souvent au travail, alors j'emmène Amber avec moi, expliqua-t-elle. Regardez-la… Elle est heureuse, propre et bien nourrie. Nous sommes rarement séparées.

Il pinça les lèvres.

— Désolé, mademoiselle Glover. Votre exposé est loin de me convaincre. Ce logement n'est pas convenable pour un enfant. Vous vivez à la limite du seuil de pauvreté…

— L'argent n'est pas tout ! s'exclama-t-elle. Je l'aime, et elle m'aime !

Elle caressa les cheveux de la fillette, qui lui adressa un sourire radieux en retour. Amour et tendresse avaient cruellement manqué à son enfance, il en convenait. Cependant, son esprit pragmatique le dissuadait de revenir sur sa décision.

— L'amour ne suffit pas. Avec un logement décent et une famille pour vous soutenir, les choses seraient différentes. Mais vous laisser élever seule cette enfant dans ce sous-sol lugubre et la traîner chaque jour à votre travail est hors de question, assena-t-il d'un ton sans appel.

Après une pause, il ajouta :

— Elle mérite mieux, vous ne croyez pas ? Pensez à *elle*, pas à vous.

— Vous me traitez d'égoïste ? répliqua-t-elle, indignée.

— En effet, confirma Ash durement. Vous avez fait de votre mieux en recueillant l'enfant après la mort de sa mère, je ne le nie pas. Mais il est temps de faire passer son intérêt avant vos sentiments personnels.

Des larmes roulèrent sur les joues de la jeune femme, et il eut soudain l'impression d'être la pire brute au monde. Il n'avait pourtant fait qu'énoncer la vérité !

« Je l'aime et elle m'aime. »

Oui, la force du lien qui les unissait était indéniable. De même, hélas ! que la lutte quotidienne qui les attendait pour subvenir à leurs besoins. La petite-fille d'Olympia méritait mieux que cela.

— Quel âge avez-vous ?

— Vingt-cinq ans.

Si jeune… Trop jeune pour porter un tel fardeau, décida-t-il. Il regrettait amèrement d'avoir ignoré la proposition de tutelle. C'était sa faute si Tabby avait dû se démener seule ces derniers mois, et s'était dangereusement attachée à la fillette.

— J'aurais dû intervenir plus tôt…

— Et me séparer d'Amber ? compléta-t-elle. Cette enfant est toute ma vie ! Sa mère et moi étions amies depuis l'enfance. Moi seule pourrai lui parler de ses parents quand elle sera grande. N'allez-vous donc rien faire ?

Ash refusait de s'impliquer sur le plan émotionnel. Depuis toujours, dévoué uniquement à ses affaires, il évitait ce genre de situation. Un détachement qui n'avait pas échappé à son père, inquiet de l'avenir solitaire vers lequel se dirigeait son fils.

— Je ferais n'importe quoi pour garder Amber, reprit-elle, ses grands yeux rivés sur lui.

— C'est-à-dire ?

— C'est évident. Le moindre conseil pour faire de moi une meilleure mère adoptive sera le bienvenu.

— Oh ! Je croyais que vous parliez de sexe…

— *Quoi ?* Vous divaguez ! Cela arrive souvent qu'on s'offre ainsi à vous ?

Il eut un hochement de tête affirmatif.

L'incrédulité se peignit sur les traits de Tabby. Elle leva le menton, et ses longues mèches couleur des blés mûrs ondoyèrent sur ses épaules. De vaguement mignonne, elle devint soudain extrêmement attirante. Un brusque désir envahit Ash, qui n'avait toutefois pas la moindre intention d'y céder. Son corps, cependant, refusait de rallier sa raison. L'excitation pulsait dans ses reins au rythme des images défilant dans sa tête. Des images de Tabby nue dans son lit, ses cheveux étalés sur son torse tandis que sa bouche pulpeuse lui prodiguait mille plaisirs…

Furieux contre lui-même, il chassa ce fantasme. En présence d'une enfant innocente de surcroît !

— Les femmes s'offrent *vraiment* à vous ? Pas étonnant que vous soyez si arrogant, siffla Tabby, soucieuse de cacher son trouble.

Elle décelait une tension entre eux, sans parvenir à en identifier la source. Quelque chose dans ses traits ciselés la fascinait. Leurs regards se croisèrent, et elle sentit les pointes de ses seins se durcir, en même temps qu'une douce chaleur se répandait dans son ventre. Impossible ! Ce rustre sans cœur l'*attirait* ?

Comme l'alchimie entre deux corps pouvait être trompeuse ! songea-t-elle, rouge d'embarras.

« Je ferais n'importe quoi pour garder Amber. »

Ces mots résonnaient avec une acuité nouvelle dans l'esprit d'Ash. Soudain, la proposition de Stevos ne lui paraissait plus si absurde. Après tout, pourquoi pas ? Lui et cette drôle de fille avaient besoin l'un de l'autre. L'accord assurerait également l'avenir d'Amber, soulageant sa conscience par la même occasion.

— Il existe un moyen pour que vous gardiez Amber, annonça-t-il sans détour.

L'espoir brilla dans les yeux de Tabby.

— Lequel ?

— Faire la demande d'adoption en couple.

— En couple ? répéta-t-elle d'un air déconcerté.

— Avec mon soutien, elle a toutes les chances d'aboutir. A condition que nous soyons mariés…

Il passa sous silence l'avantage que lui-même retirerait de ce mariage. Avouer la vérité le rendrait vulnérable à un éventuel chantage. Moins elle en saurait, moins elle aurait de pouvoir sur lui.

— *Mariés ?* s'exclama-t-elle.

Son visage exprimait la plus grande stupéfaction.

— Une situation de couple traditionnelle donnera plus de poids à notre dossier, expliqua-t-il.

— Donc, si je comprends bien, pour que je puisse adopter Amber, vous êtes prêt à m'épouser ?

— Il ne s'agira que d'un mariage sur le papier, pour une demande d'adoption conjointe. Il nous suffira de faire semblant de vivre sous le même toit jusqu'à la fin de la procédure.

— Un faux mariage, résuma Tabby, que cette idée laissait pantoise. Pourquoi feriez-vous cela ? Il y a à peine quelques mois, vous ne vous sentiez aucune obligation envers Amber.

— J'ignorais alors qu'elle était la petite-fille d'Olympia Carolis…

— Qui ?

— La mère de Troy, que j'ai connue sous son nom de jeune fille. Elle travaillait pour ma mère et vivait avec nous quand j'étais enfant, dit-il avec réticence. J'ai perdu tout contact avec cette branche de la famille après la mort de ma mère, mais j'aimais beaucoup Olympia. C'était une femme bien.

— Alors pourquoi cette froideur envers Amber ? Vous n'avez même pas essayé de la prendre dans vos bras…

— Je n'ai pas l'habitude des enfants. Je ne veux pas l'effrayer.

Une excuse somme toute crédible, dont elle parut se satisfaire.

— J'aurais dû m'intéresser à elle plus tôt, poursuivit-il. Votre situation ne serait pas ce qu'elle est aujourd'hui si j'avais d'emblée assumé ma responsabilité de cotuteur.

Cet aveu désarma visiblement Tabby. Elle ne s'attendait pas à une telle franchise de sa part. Il avait fait une erreur et avait le courage de l'admettre, une attitude qu'elle semblait respecter. Il s'était aussi rapproché du lit d'Amber, qui lui souriait dans l'espoir d'être portée, mais ses bras restèrent obstinément rivés à son corps. Le plus réticent n'était pas la fillette, paraissait penser Tabby qui observait sa posture raide.

— Donc, vous avez changé d'avis et m'encouragez à l'adopter ?

— Pas exactement, répondit-il. Mon but est de veiller au bien-être d'Amber. Si vous remplissez convenablement votre rôle de mère, je vous confierai sa charge exclusive après notre divorce, en veillant à ce que vous ayez un logement décent où l'élever.

Autrement dit, elle serait à l'essai tout le temps de leur faux mariage, songea Tabby que cette perspective ne réjouissait pas. Mais l'implication de cet homme, prêt à épouser une parfaite inconnue pour le bien de la fillette, lui faisait regretter ses préjugés contre lui. Un tel sacrifice n'était-il pas la preuve qu'il se souciait réellement de l'avenir d'Amber ?

Ash était on ne peut plus satisfait. Ce mariage allait régler tous ses problèmes : d'une pierre, deux coups ! Restait à choisir le lieu de la cérémonie, de préférence discret. Naturellement, s'ils voulaient que leur couple ait l'air plausible, un relooking complet de la « fiancée » s'imposait.

— Je vous emmène chez moi, annonça-t-il avec fermeté. Prenez l'enfant et laissez le reste. Mon personnel se chargera de faire suivre vos affaires.

— Vous plaisantez ! Comme si j'allais suivre un parfait inconnu chez lui ! Je ne suis pas si naïve…

— C'est votre unique chance, mademoiselle Glover. Ma patience est limitée. Face aux nombreuses démarches qui nous attendent, je suggère que nous ne perdions pas davantage de temps.

*
* *

Son agacement chargeait l'air de tension. Tabby hésita. S'imaginait-il la mener à la baguette sous prétexte qu'il lui faisait une faveur ? Mais, au fond, avait-elle le choix ? Pour une fois, elle allait tenir sa langue et se montrer coopérative. Elle lui ferait confiance. D'ailleurs, quel risque courait-elle qu'un séduisant milliardaire comme lui cherche à la mettre dans son lit ?

— Entendu, finit-elle par dire.

Elle jeta pêle-mêle dans un sac un paquet de couches, plusieurs biberons et une réserve de lait maternisé. Puis elle passa une veste — déjà trop juste — à Amber et la sangla dans son siège auto.

De son côté, Ash appela son assistante, à qui il ordonna d'engager une nounou sur-le-champ — hors de question de s'encombrer du bébé pour leur marathon shopping. Pendant les dix premières minutes du trajet, il resta scotché à son téléphone, distribuant des ordres, chargeant Stevos d'entamer les procédures administratives. Pour la première fois depuis la mort de son père, il se sentait de nouveau maître de la situation. Il lança un regard en biais à Tabby Glover, occupée à divertir la fillette. Cette femme, soupçonnait-il, allait se révéler aussi utile qu'exaspérante…

— Où allons-nous ? demanda Tabby qui peinait encore à réaliser ce qui lui arrivait.

Mariage, adoption… Cela tenait du miracle ! Acheron Dimitrakos, avec sa mine sévère, n'avait pourtant rien d'un ange gardien.

— A mon appartement pour y déposer Amber, répondit-il.

— Et qui s'occupera d'elle ? Votre assistante ? Pas question !

— J'ai engagé une nounou, le temps de vous acheter une nouvelle garde-robe.

— Amber n'a pas besoin de nounou, et je n'ai pas besoin de vêtements.

Ses joues s'empourprèrent sous le regard dédaigneux qu'il lui lança.

— Votre style est déplorable. Pour une question de crédibilité, il est indispensable que vous en changiez.

— Vous rêvez ! Comme si j'allais…

— Préférez-vous que je vous ramène à votre confortable petit sous-sol ?

Tabby serra les dents. Elle était piégée. Autrement dit, vulnérable, une position qu'elle avait toujours évitée jusque-là. Or, refuser d'obéir, c'était prendre le risque de perdre Amber. Si elle venait à être placée en famille d'accueil, jamais elle ne la récupérerait.

Acheron Dimitrakos avait-il raison de taxer d'égoïsme son désir de garder l'enfant de Sonia ? Cette pensée la tracassait. Il lui répugnait d'admettre qu'il puisse être plus avisé qu'elle au sujet d'Amber. Mais une personne extérieure n'avait-elle pas l'avantage du recul ? Son amour était tout ce qu'elle avait à offrir à la petite fille. Pour elle, c'était le plus important car, enfant, elle n'avait jamais connu ce sentiment de bien-être et de sécurité que seul un parent aimant peut prodiguer. Pour Acheron, cependant, c'était insuffisant.

Seuls le temps et Amber elle-même lui diraient si elle avait fait le bon choix…

Dans l'ascenseur qui les conduisait à l'appartement d'Acheron, Amber se cramponna à elle, comme si elle percevait sa tension. Tabby observait le milliardaire avec une frustration grandissante. La froideur de son regard et sa désinvolture affichée la mettaient hors d'elle. A croire que rien ne le touchait, alors qu'elle était en proie à des émotions contradictoires, terrifiée à l'idée de prendre la mauvaise décision… Et à qui la faute ? Avant de rencontrer Acheron Dimitrakos, elle n'avait jamais douté d'être une bonne mère. A présent, c'était sa fierté et son indépendance qu'il la poussait à sacrifier.

— Ce plan est voué à l'échec, dit-elle. Nous nous entendons comme l'huile et l'eau…

— Pas si vous cessez de chicaner sur le moindre détail.

— Engager une nounou inconnue, vous appelez ça un détail ?

— Il s'agit d'une professionnelle qualifiée qui a été soigneusement sélectionnée. Pas de la première lycéenne venue, répliqua-t-il, sarcastique.

Elle baissa les yeux sous l'intensité de son regard et resserra son étreinte autour d'Amber. La fillette était son seul repère dans cette nouvelle réalité qu'il dessinait autour d'elle, à mille lieues de tout ce qu'elle connaissait. Acheron Dimitrakos l'intimidait, et cette faiblesse la mortifiait. Mais il était aussi prêt à lui venir en aide, se répéta-t-elle résolument. Peu importait l'humiliation si, en définitive, elle parvenait à adopter la fille de son amie.

— Le genre de mariage que vous proposez n'est-il pas illégal ? s'entendit-elle demander.

— Pourquoi le serait-il ? L'intimité des époux est de l'ordre du privé.

— Mais notre union sera une imposture…

— Quelle importance, si elle ne cause de tort à personne ? Ce n'est qu'un moyen de renforcer notre image de jeune couple désireux d'adopter.

— Ce que vous pouvez être vieux jeu ! soupira Tabby. Beaucoup de couples ne se marient pas, même avec des enfants.

— Pas dans ma famille.

Le sous-entendu était clair : ils appartenaient à deux mondes différents. A la colère de Tabby se mêla un embarras cuisant. Ses parents n'étaient pas mariés à sa naissance, et n'avaient songé à le faire que pour régulariser la situation.

Elle leva les yeux et se heurta au regard ténébreux d'Acheron. Une vague de chaleur la submergea, en même temps qu'une nuée de papillons s'envolait dans son ventre. Sitôt les portes ouvertes, elle se précipita hors de l'ascenseur.

Quelque chose avait percé ses défenses. Quelque chose d'aussi dangereux qu'attirant…

Pourquoi cet homme plus froid et distant que l'Antarctique lui faisait-il autant d'effet ?

3.

Dans l'appartement d'Acheron, la nounou fraîchement engagée les attendait. Quelques minutes suffirent à la jeune et jolie blonde pour charmer Amber, qu'elle emporta dans ses bras.

— Allons-y, dit Acheron avec impatience. Nous avons beaucoup à faire.

— Je déteste le shopping…

L'idée de se faire payer des vêtements, surtout par lui, révoltait Tabby.

— Moi aussi. Je me contenterais de vous donner une carte de crédit, si j'avais confiance en vos goûts vestimentaires.

Tabby garda le silence tandis qu'elle remontait dans la limousine. Inutile de discuter, c'était une bataille perdue d'avance. De toute façon, il pouvait bien l'affubler comme il le voulait, cela ne changerait pas qui elle était. Elle allait prendre sur elle et jouer le jeu, car c'était bien d'un jeu qu'il s'agissait. Dans la vraie vie, les filles comme elle n'épousaient pas de séduisants milliardaires grecs…

A peine eurent-ils passé le seuil d'une luxueuse enseigne qu'un vendeur les prit en charge. Etonnamment, Acheron paraissait dans son élément, désignant d'un coup d'œil les articles qui lui plaisaient et que le vendeur s'empressait de décrocher dans la bonne taille. Tabby ne chercha même pas à faire valoir son opinion. Peu après, elle fut poussée dans une cabine d'essayage avec une montagne de vêtements.

— Dépêchez-vous, lui intima Acheron. Je veux vous voir dans la robe rose.

Réprimant un grognement, elle passa la robe de cocktail, simple et raffinée, retira ses chaussettes, et sortit pieds nus de la cabine.

Il l'inspecta sous toutes les coutures, les sourcils froncés.

— Je ne vous imaginais pas si fluette…

Tabby se mordit la lèvre. Elle avait sauté de nombreux repas, ces derniers mois, si bien que ses rares courbes avaient rapidement fondu, au profit d'une minceur prononcée.

— Je suis plus forte que j'en ai l'air, dit-elle, sur la défensive.

Ash avait l'impression de contempler une poupée. Son regard glissa des frêles épaules aux jolies jambes galbées. C'était à peine si les seins bombaient le corsage de la robe, et les hanches étaient totalement invisibles. D'ordinaire, il préférait les courbes généreuses, mais la silhouette délicate de Tabby Glover le charmait étrangement. Avec sa crinière blonde rehaussant son teint nacré et l'éclat violet de ses yeux, elle était plus attirante que jamais. Il craignait presque de l'écraser lorsqu'il lui ferait l'amour…

Comme si cela avait une chance d'arriver ! se reprit-il aussitôt. Coucher ensemble ne faisait en aucun cas partie de leur accord.

Au moment où elle se retournait, il aperçut un tatouage sur son bras gauche, une rose de couleur vive.

— Cette robe ne convient pas, dit-il sèchement à l'adresse du vendeur. Il en faut une à manches longues qui couvre cette… chose.

Tabby tressaillit et plaqua la main sur son tatouage. Elle en avait presque oublié l'existence… La cicatrice était rugueuse sous ses doigts — cette cicatrice qu'elle avait cachée sous une rose colorée. Son cœur se serra malgré tout le temps écoulé depuis qu'on lui avait infligé cette blessure. Un tatouage lui avait paru préférable au rappel constant de ce qu'avait été son enfance. Et la rose, bien qu'imparfaite, avait rempli sa fonction, celle d'un baume apaisant sur ses mauvais souvenirs.

Elle n'y pensait que rarement.

— Pourquoi vous être mutilée ainsi ? lui reprocha Acheron, sans masquer son dégoût.

— C'est un porte-bonheur, répondit-elle avec une désinvolture feinte. Je l'ai depuis des années.

Attrapant la robe à manches longues que lui tendait le vendeur, elle se réfugia dans la cabine. Une sueur glacée perlait sur sa peau, après ce douloureux bond dans le passé. Oui, la rose était son porte-bonheur. Une amulette contre le souvenir de ce qui arrivait lorsqu'on aimait quelqu'un qui ne le méritait pas. Qu'est-ce que ça pouvait lui faire qu'Acheron déteste les tatouages ?

Elle enfila la robe, lissa les manches et, inspirant profondément, quitta la cabine.

De nouveau il la détailla de haut en bas, avec une attention soutenue. Son regard pénétrant traçait comme un sillon de feu à travers le tissu de sa robe. Le désir fusa en elle, durcissant ses mamelons, enflammant chaque fibre de son être. Elle se sentait grisée, tout à coup, en proie au plus délicieux des vertiges.

— Cela fera l'affaire, dit-il d'une voix rauque.

Elle brûlait de le toucher, à tel point qu'elle dut serrer les poings pour ne pas céder à l'impulsion. Elle se faisait l'impression d'être une proie attirée par un piège fatal.

Reprends-toi ! s'admonesta-t-elle en rassemblant tout son self-control.

C'est cet instant que choisit Acheron pour franchir la distance qui les séparait et envelopper ses mains dans les siennes.

Elle leva les yeux vers lui… et eut le souffle coupé. De près, ses prunelles n'étaient plus noires, mais d'une teinte saisissante où se mêlaient des nuances dorées et caramel, frangées par ces cils interminables qu'elle jalousait. Ses doigts sur les siens devenaient caressants, d'une douceur inattendue. Un délicieux frisson la traversa. Elle avait envie de sentir ces mains sur son corps, explorant ses secrets les mieux gardés…

En se sentant rougir, elle se dégagea brusquement.

— Essayez les autres vêtements, ordonna Acheron après un bref silence.

La froideur de son ton acheva de rompre le charme. Le visage en feu, Tabby disparut dans la cabine. Comment diable faisait-il cela ? Elle devait à tout prix se prémunir contre lui ! Ce type était un don Juan, un charmeur, capable de transformer une remarque blessante sur son tatouage en un moment hors du temps, rien qu'en lui prenant les mains ! Dieu merci, elle n'était pas une de ces blondes idiotes qui se pâment aux avances du premier apollon venu. D'où sa virginité tardive…

Elle fit la grimace. Cette inexpérience avec les hommes l'embarrassait. Après tout, elle n'avait pas choisi de rester vierge. C'était arrivé comme cela… Aucun des hommes qu'elle avait fréquentés ne lui avait jamais donné envie de sauter le pas, et elle n'était pas du genre à tenter l'expérience seulement pour voir ce que cela faisait.

Et voilà qu'Acheron Dimitrakos débarquait dans sa vie et chamboulait tout ce qu'elle croyait savoir d'elle-même ! Elle ne l'appréciait pas, pas plus qu'elle ne lui faisait confiance. Pourtant, il l'attirait ! Quel genre de personne cela faisait-il d'elle ? Une débauchée comme ses parents, insouciante et autodestructrice ?

Ash bouillonnait de tension. Bon sang, que lui avait-il pris ? Il avait été à deux doigts d'écraser cette bouche pulpeuse sous la sienne ! Pas de sexe entre eux, c'était la règle qu'il s'était fixée. Maintenir une relation impersonnelle ne pouvait pas être si difficile : Tabby Glover et lui n'avaient absolument rien en commun !

Elle sortit de la cabine en pantacourt ajusté et cardigan

en cachemire lie-de-vin, le tout complété par des talons hauts. Elle était vraiment superbe. Le style chic lui allait à ravir, constata-t-il avec surprise, le regard inexorablement attiré par le léger renflement sous le cardigan moulant.

Oui, décida-t-il. Il avait pris la bonne décision. Tabby Glover était parfaite pour leur arrangement, car elle avait autant à y gagner que lui. Sa propre vie resterait inchangée. Il avait trouvé l'épouse idéale — une fausse épouse.

Tabby suivit ensuite le vendeur au rayon lingerie, où Acheron la laissa seule, puis explora longuement le rayon enfants. Quel bonheur de choisir une jolie garde-robe pour Amber ! La fillette allait enfin porter des vêtements neufs, et à sa taille ! De retour à la limousine, Tabby confia ses nombreux sacs d'achats au chauffeur, qui les rangea dans le coffre pendant qu'elle prenait place à côté d'Acheron. Celui-ci était au téléphone et s'exprimait en français. Combien de langues maîtrisait-il donc ? se demanda-t-elle, impressionnée malgré elle. Le grec, l'anglais, et maintenant le français…

— Ce soir, nous dînons dehors, annonça-t-il après avoir raccroché.

— Est-ce vraiment nécessaire ? marmonna Tabby, que cette idée n'enchantait guère.

— Oui. Nous devons nous afficher en public, si nous voulons passer pour un vrai couple. Vous porterez la robe à manches longues.

Secrètement terrifiée par l'épreuve qui l'attendait, Tabby se tut. Elle, dîner en compagnie d'un milliardaire alors qu'elle n'avait jamais mis les pieds dans un restaurant chic de toute sa vie ? La perspective de tous ces couverts à utiliser l'intimidait. Sans parler des serveurs en uniforme impeccable qui auraient vite fait de la démasquer…

Deux heures plus tard, douché et changé, Ash ouvrit le coffre de sa chambre et en sortit un écrin intouché depuis des années. La splendide émeraude qui, selon la légende, aurait orné la couronne d'un maharadjah, avait appartenu à sa mère. Montée sur un anneau d'or, elle faisait une magnifique bague de fiançailles. Même si la perspective de passer le précieux bijou au doigt de Tabby Glover faisait frémir Ash et sa fibre anti-engagement… Heureusement, leur mariage serait cent pour cent factice.

Dans sa chambre, Tabby appliquait la dernière touche de son maquillage. « La belle plume fait le bel oiseau », répétait souvent sa mère d'accueil préférée. Et elle devait admettre qu'elle prenait plaisir à se faire belle. Très vite, elle avait cessé de se maquiller lorsqu'elle avait commencé à s'occuper d'Amber. Mais ce soir, la nounou, engagée jusqu'à 23 heures, lui donnait tout le temps de se pomponner. De là à passer pour une femme du monde… hum. Mieux valait ne pas viser trop haut. Après un dernier coup de brosse, elle choisit une pochette assortie à ses escarpins et quitta la pièce.

L'appartement d'Acheron était encore plus vaste qu'elle ne l'avait imaginé. Elle et Amber avaient été reléguées dans deux chambres au fond d'un couloir, loin des pièces principales et de la chambre du maître des lieux, située en haut d'un élégant escalier à spirale. Il vivait vraiment comme un roi, nota-t-elle en secouant la tête devant le mobilier luxueux et les bouquets de fleurs fraîches disposés un peu partout. Ils appartenaient bel et bien à deux mondes différents, mais ils avaient un point commun : le goût du travail récompensé. Du moins l'espérait-elle, car elle avait la ferme intention de reprendre son activité.

Acheron se matérialisa soudain devant elle.

— Mettez ceci, lui intima-t-il en lui tendant une bague sertie d'une émeraude étincelante.

Tabby fronça les sourcils.

— Qu'est-ce que c'est ?

— Une bague de fiançailles. Nous sommes censés

nous marier, je vous rappelle. Vous êtes vraiment lente à la détente…

Son cœur battait la chamade lorsqu'elle passa le bijou à son doigt.

— Je ne m'attendais pas à quelque chose d'aussi somptueux…

— La cérémonie sera discrète et expéditive. Raison de plus pour soigner les apparences.

— Je vis avec vous et porte les vêtements que vous m'avez achetés. N'est-ce pas suffisant ?

— Beaucoup de couples non mariés vivent ensemble, et je ne compte plus les femmes à qui j'ai acheté des vêtements, répliqua Acheron. Notre relation doit avoir l'air plus sérieuse.

Il avait réservé la meilleure table d'un restaurant réputé, dont l'éclairage tamisé contribuait à une atmosphère intime. Du moins l'aurait-elle été sans l'empressement exagéré des serveurs à leur égard. Cette attention constante mettait Tabby mal à l'aise.

A table, Ash s'autorisa à contempler sa « fiancée » après l'avoir ignorée pendant tout le trajet. Ses longs cheveux dorés cascadaient sur ses épaules, encadrant un visage à la fois délicat et incroyablement expressif, dominé par de grands yeux violets et une bouche pulpeuse. Il ne pouvait détacher les yeux de cette bouche à faire se damner un saint…

— Satisfait de votre poupée Barbie ? s'enquit Tabby d'un ton moqueur.

N'ayant pas encore identifié les couverts à salade, elle cherchait à gagner du temps.

— Vous êtes un peu trop insolente, mais absolument splendide dans cette robe.

Le compliment la prit au dépourvu.

— Pour l'instant, je suis très satisfait, ajouta-t-il. Soyez assurée que je remplirai ma part du contrat.

Il saisit une fourchette, et elle s'empressa de l'imiter, les yeux rivés à ses mains.

— J'ai demandé une licence de mariage spéciale. Tout devrait être réglé d'ici à la cérémonie, prévue pour jeudi. En ce qui concerne l'adoption, mon avocat a déjà contacté les services sociaux et se charge des démarches.

— On peut dire que vous ne perdez pas de temps, remarqua Tabby.

— N'est-ce pas vous qui refusiez que l'enfant soit placée en famille d'accueil ? lui rappela-t-il.

En effet. Dieu seul sait où Amber aurait été envoyée sans le soutien du milliardaire.

— C'est vrai, concéda-t-elle. Mais il reste certains détails à régler. Que suis-je censée faire le temps de notre faux mariage ?

Un haussement de sourcils accueillit sa question.

— Vous ? Rien, si ce n'est apparaître à mes côtés lors de certains événements publics. C'est tout ce que j'attends de vous.

— Parfait, car je souhaite relancer mon entreprise et…

— Hors de question, la coupa-t-il. Amber mérite une mère à plein temps.

Tabby n'en croyait pas ses oreilles.

— La plupart des mères travaillent, observa-t-elle.

— Je couvrirai vos dépenses. Tant que nous serons mariés, vous ne travaillerez pas. Vous vous occuperez exclusivement de l'enfant.

Cette fois, c'en était trop.

— Je ne veux pas de votre argent, grinça-t-elle entre ses dents. Vous n'avez pas à me dire ce que j'ai le droit ou non de faire !

— Vraiment ?

Le cœur de Tabby battait à tout rompre. Sa frustration était telle qu'elle l'empêchait de parler. Tremblant de rage contenue, elle ne pouvait que fixer Acheron en silence. Il la manipulait comme une vulgaire marionnette ! Et n'était-ce pas ce qu'elle était ? Parce que lui seul avait le pouvoir d'aider Amber, elle se retrouvait contrainte de souscrire à ses valeurs démodées, qu'elle le veuille ou non. Bien sûr, rien ne l'empêchait de refuser, mais cela signifiait abandonner la fillette à son sort, ce à quoi elle ne pouvait se résoudre.

Elle avait aimé Amber à la seconde où elle était née ; l'avait tenue dans ses bras à la place de Sonia, trop affaiblie par la maladie. Pour toutes ces raisons, elle n'avait d'autre choix que d'obéir à Acheron. Accepter cet état de fait était une puissante leçon d'humilité, car cela allait à l'encontre de tous ses principes. Perdre le contrôle de sa vie était sa plus grande terreur.

— Vous ne mangez pas ? remarqua-t-il.

Depuis quelques minutes, elle remuait distraitement sa fourchette dans son assiette, sans rien porter à sa bouche. Son steak était saignant, ce qu'elle détestait. Elle s'était alignée sur le choix d'Acheron uniquement parce que la carte en français lui était aussi impénétrable que des hiéroglyphes.

— Vous m'avez coupé l'appétit, dit-elle avec humeur.

Les traits du milliardaire se durcirent.

— Une femme d'affaires n'a guère de temps à consacrer à un enfant. Si vous tenez tant à relancer votre entreprise, renoncez à l'adoption.

A court d'arguments, Tabby but une gorgée d'eau, sans toucher à son verre de vin. Elle ne buvait jamais d'alcool, par peur de perdre le contrôle. De son corps. De ses désirs... Acheron n'avait pas tort. Reprendre les affaires l'accaparerait beaucoup. Elle s'estimait capable de concilier travail et vie de famille, mais était-ce juste vis-à-vis d'Amber ? Pour la première fois, elle avait l'opportunité d'être mère à plein temps. Pourquoi ne pas tenter l'expérience au lieu de la rejeter en bloc ?

— Sommes-nous sur la même longueur d'onde ? demanda Acheron au moment où arrivait le dessert.

Elle acquiesça, tâchant d'oublier qu'elle allait dépendre financièrement d'un homme pour la première fois de sa vie.

Au moment de quitter le restaurant, il lui passa le bras autour de la taille. Elle tressaillit avant de se rendre compte qu'ils étaient littéralement cernés par les photographes.

— Souriez, lui chuchota-t-il.

A contrecœur, elle obtempéra.

Et exigea une explication sitôt dans la limousine.

— Simple preuve publique de notre relation, répondit Acheron. Dès demain, la presse annoncera nos fiançailles.

Leur relation ? Tabby étouffa un rire jaune. Il donnait des ordres, elle obéissait. C'était une dictature, pas une relation. Mais sans doute ne faisait-il pas la différence…

Les pleurs aigus du bébé tirèrent Ash du sommeil. Il attendit un moment que les cris s'atténuent, en vain. A bout de patience, il s'extirpa du lit et allait sortir de sa chambre lorsqu'il se rappela qu'il était nu comme un ver. Avec un juron, il fit demi-tour pour enfiler un jean. Bon sang, il détestait avoir des invités ! Il détestait tout ce qui perturbait sa routine habituelle. Tabby, à cet égard, présentait un certain avantage par rapport à une vraie épouse, il devait l'admettre.

Dans son lit, le bébé agitait furieusement bras et jambes en poussant des cris à réveiller les morts — mais pas sa tutrice, visiblement. Ash approcha avec hésitation. Aussitôt, la fillette se dressa dans son lit et tendit les bras, le regard chargé d'espoir. Elle paraissait très en forme pour une enfant censée dormir à poings fermés…

— Ça suffit ! ordonna-t-il. Je déteste les bébés qui pleurent.

La petite fille baissa les bras, ses grands yeux chocolat fixés sur lui.

— Pleurer ne mène à rien, continua-t-il du même ton inflexible.

Visiblement peu convaincue, l'enfant se remit à sangloter. Elle paraissait incroyablement triste, seule et perdue.

— Prenez-la dans vos bras. Elle a besoin d'être rassurée, murmura Tabby depuis le seuil de la chambre.

Quel drôle de tableau que ce grand gaillard viril, désarçonné par les pleurs d'un bébé ! songea-t-elle. Et vêtu d'un simple jean…

Elle déglutit. Impossible de détacher les yeux du torse bronzé sculpté à la perfection, sinon pour admirer les abdos d'acier dignes des meilleurs athlètes. Le fantasme féminin par excellence…

— Pourquoi ferais-je cela ? grogna Ash en se retournant.

Elle était appuyée au montant de la porte, dans une nuisette qui révélait plus qu'elle ne dissimulait. A la lueur de la veilleuse qui éclairait faiblement la chambre, deux mamelons roses transparaissaient à travers le fin tissu, ainsi qu'une ombre suggestive à la jonction de ses cuisses. Une vague de désir l'envahit.

— Vous devez être capable de gérer Amber, si nous voulons que notre demande d'adoption aboutisse, répondit Tabby.

— Il est 2 heures du matin. Elle est censée faire sa nuit. Il ne serait pas judicieux de l'enlever de son lit…

Amber se mit à pleurer de plus belle. Agacée par l'attitude d'Acheron, Tabby traversa la pièce, prit la fillette et la lui mit sans cérémonie dans les bras.

Difficile de dire qui était le plus abasourdi, de la petite fille ou du milliardaire.

— Quand elle fait un cauchemar, réconfortez-la. Elle a besoin de savoir que quelqu'un veille sur elle. En général, un câlin suffit à l'apaiser.

— Un câlin ?

Il lui lança un regard effaré.

— Vous voulez que je lui fasse… *un câlin* ?

4.

Avec un soupir, Tabby lui reprit l'enfant des bras et déposa un baiser sur son front.

— Le contact peau à peau est très important, expliqua-t-elle posément.

— Je ne l'embrasserai pas non plus, répliqua Ash d'un ton cinglant.

— Alors caressez-lui les cheveux, frottez-lui le dos, rassurez-la d'une façon ou d'une autre. Faites un effort, bon sang !

— Comment ? Par une transplantation de personnalité ? Je ne suis pas doué avec les enfants. Je n'ai aucune expérience avec eux.

— Il n'est jamais trop tard pour apprendre.

Avec douceur, elle lui replaça la fillette dans les bras.

— Serrez-la contre vous. Cajolez-la. Un peu comme vous cajoleriez une femme. Ne me dites pas que vous n'avez pas d'expérience dans ce domaine…

— Je ne les cajole pas, je couche avec. Et ce n'est pas une conversation appropriée en présence d'une enfant ! rétorqua Ash, agacé.

La petite fille s'agita contre lui. Il tenta maladroitement de lui frotter le dos.

— Serrez-la plus fort. Elle ne va pas vous mordre, intima Tabby en poussant le bébé avec précaution dans le creux de son épaule.

Ash s'était rarement senti aussi mal à l'aise. Il comprenait ce qu'elle attendait de lui, mais n'avait aucune envie d'obtempérer. Puis il songea à DT Industries, qui ne lui appartiendrait en totalité qu'*après* le mariage. Le résultat valait bien quelques sacrifices, songea-t-il avec résignation en enlaçant plus étroitement le bébé.

— Et parlez-lui, ajouta Tabby.

— Lui parler ? De quoi ?

La fillette s'était blottie de son propre gré contre lui, minuscule poids plume agrippé à son épaule. La sensation était étrange, déconcertante.

— Des fluctuations de la Bourse, peu importe. L'important est qu'elle entende votre voix.

Ash entonna les premières notes d'une comptine grecque.

— Vous promener avec elle dans la pièce vous aiderait à vous relaxer…

Bon sang ! Allait-elle se taire ? pesta-t-il intérieurement. Il se mit à confier en grec à la fillette tout ce qu'il pensait de sa tutrice, en ayant soin d'effacer toute hostilité de son ton. Amber l'écoutait, ses grands yeux candides posés sur lui. Cette confiance qu'elle accordait à un parfait inconnu le stupéfiait. Si un bébé en était capable, pourquoi pas lui ? Pourquoi cette réticence instinctive vis-à-vis de Tabby ? Parce qu'elle le hérissait au plus haut point. Tout comme le fait de devoir suivre ses instructions…

Pendant qu'il lui caressait le dos, Amber ferma les yeux, la tête posée sur son épaule.

— Passez-la-moi, murmura Tabby. Elle est sur le point de se rendormir.

— Fin de la leçon, railla Ash tandis qu'elle déposait le bébé dans son lit.

La fine nuisette dessinait le galbe de ses cuisses et le ferme arrondi de ses fesses. Lorsqu'elle se redressa, il nota les deux tétons roses qui tendaient la soie légère. Son corps se durcit à ce spectacle.

— A l'avenir, couvrez-vous en ma présence. A moins qu'il ne s'agisse d'une invitation ?

Les yeux de Tabby s'agrandirent d'incrédulité.

— Vous vous croyez sans doute irrésistible, répliqua-t-elle en se dirigeant vers la porte.

Il la rattrapa en quelques enjambées.

— Ne faites pas l'innocente, mademoiselle Glover. N'importe quel homme réagirait comme moi face à une femme s'exhibant de la sorte.

— Je ne m'exhibe pas ! protesta Tabby avec véhémence. Je ne savais même pas que vous seriez là quand je suis entrée !

Saisissant son poignet, il l'entraîna dans le couloir et ferma la porte derrière lui.

— La vue n'est pas pour me déplaire, reprit-il sans la quitter des yeux.

Tabby soutint son regard, notant au passage la ligne volontaire de son menton et l'ombre de barbe qui accentuait encore sa virilité.

— Je n'ai aucune intention de m'offrir à vous, répondit-elle avec aplomb.

— Non ?

Sa bouche couvrit la sienne, légère comme une plume. Elle n'avait pas plus tôt entrouvert les lèvres qu'il y glissait avidement la langue. Une main dans son dos, il la plaqua contre lui, tandis que son autre main se faufilait vers sa poitrine.

Tabby était totalement sous l'emprise de son baiser. Elle savait qu'elle devait résister, mais…

Une seconde. Juste une seconde de plus.

Les assauts sensuels de sa langue allumaient un feu d'artifice en elle. Et ses mains… Seigneur, ses mains ! Explorant ses seins, taquinant leurs pointes sensibles jusqu'à la rendre folle de désir…

— Non, haleta-t-elle en s'arrachant à son étreinte.

— Non ?

Ash la fixait de son regard incandescent. Comme elle brûlait qu'il l'embrasse de nouveau ! Brûlait de s'offrir tout entière à ses caresses expertes, avec une intensité qui la terrifiait. D'une main, il la pressa contre son érection, bien visible sous le jean.

— Allons, Tabby, pourquoi ne pas nous amuser un peu, tous les deux ?

— Je ne suis pas ce genre de fille ! protesta-t-elle, outrée par le ton de sa proposition.

Croyait-il vraiment qu'elle serait flattée de lui servir de distraction ? De réchauffer son lit pour quelques heures, seulement parce qu'il n'avait personne d'autre sous la main ?

Il plissa les yeux.

— Je ne vous juge pas, vous savez. J'aime le sexe et je suis convaincu que vous aussi.

— Eh bien, vous faites fausse route !

Ce maudit milliardaire n'était pas différent de tous ces types qui, après lui avoir offert un verre, s'étaient attendus à ce qu'elle couche avec eux, et avaient été déconcertés par son refus. Contrairement à eux, elle ne considérait pas le sexe comme un passe-temps.

— Si vous n'aimez pas le sexe, c'est que vous avez eu de mauvais partenaires, assura-t-il en lui caressant la lèvre inférieure du pouce.

Un long frisson parcourut Tabby. Elle recula d'un pas pour se mettre hors de sa portée, et éprouva aussitôt une inexplicable sensation de vide.

— Très persuasif, ironisa-t-elle. Mais ça ne prend pas. J'ai beau être vierge, je sais de quoi les hommes sont capables pour mettre une femme dans leur lit.

— « Vierge » ? répéta Ash avec une expression incrédule. Est-ce une de vos ruses pour m'aguicher ?

Tabby partit d'un grand rire.

— Vous vous méfiez vraiment des femmes, n'est-ce pas ? Je ne cherche pas à vous aguicher, au contraire. Un tel degré d'implication ne serait pas judicieux.

— Qui parle d'implication ? Il ne s'agit que de sexe…

Il séparait donc les deux notions, nota-t-elle, atterrée.

Cet homme était un véritable phobique de l'engagement. Aucun malentendu possible sur ce qu'il lui offrait : un simple échange de plaisir, rien de plus.

— Bonne nuit, monsieur Dimitrakos, lança-t-elle en tournant les talons.

— Vierge…, marmonna-t-il. Sérieusement ?

Elle se retourna.

— Oui. Sérieusement.

— Comment est-ce possible ?

Ses yeux noirs brillaient d'un mélange de curiosité et de fascination.

— Je n'en ai jamais eu envie, dit-elle.

Jusqu'à aujourd'hui. Leur baiser passionné avait éveillé en elle un désir comme elle n'en avait jamais ressenti, intensément physique. Un désir susceptible d'échapper à son contrôle…

— Mais vous avez envie de moi, *hara mou*, murmura-t-il avec assurance.

Alors qu'elle s'éloignait dans le couloir, elle s'immobilisa de nouveau. La tentation était trop forte de lui faire ravaler sa suffisance.

— Apparemment, pas assez.

De retour dans sa chambre, Ash prit une longue douche froide. Certains hommes auraient répondu à la pique de Tabby, relevé le défi implicite. Pas lui. Sa libido n'obéissait qu'à sa raison. Coucher avec cette fille était de toute évidence synonyme d'ennuis, et il détestait les relations compliquées. Sa dernière imprudence avait d'ailleurs été lourde de conséquences.

Et puis, elle était vierge ! Il peinait à y croire, mais quelle raison aurait-elle de mentir ? Une femme qui préservait sa virginité jusqu'à ses vingt-cinq ans attendait certainement beaucoup de son premier amant ; c'était la seule explication. Il ne serait pas cet homme-là. Jamais il ne répondrait à ses attentes ou à ses critères moraux. Il était prévenu : désormais, il garderait ses distances.

* * *

Un œil sur Amber assise à ses pieds, Tabby étouffa un bâillement. La matinée semblait ne jamais devoir se finir. Stevos lui avait fait remplir une montagne de documents et détaillait à présent une par une chaque clause du contrat prénuptial. Acheron tenait naturellement à protéger sa fortune. Une chance qu'elle ne soit pas amoureuse de lui ! Cette planification de leur divorce avant même que le mariage n'ait eu lieu l'aurait déprimée. Quant à ses millions, elle n'en avait cure.

— Je n'ai pas besoin d'autant d'argent, protesta-t-elle. Je suis capable de vivre avec un budget limité. Le quart de ce que vous m'offrez serait déjà plus que généreux.

— C'est l'occasion rêvée de me soutirer un maximum, commenta Acheron avec cynisme. Signez le contrat, mademoiselle Glover. Quand vous aurez goûté à mon mode de vie, vos standards risquent de changer du tout au tout.

Elle le fusilla du regard.

— La garde d'Amber est tout ce que j'espère retirer de cet arrangement, monsieur Dimitrakos. Je ne suis pas une intrigante, vénale et sans scrupule.

— M. Dimitrakos cherche seulement à vous assurer un avenir confortable, intervint Stevos.

— Non. Il cherche à acheter ma loyauté, et il se trouve qu'elle n'est pas à vendre, répliqua Tabby avec fougue. J'apprécie ce qu'il fait pour Amber et moi, c'est pourquoi je refuse d'abuser de sa générosité…

— Signez ! s'impatienta Acheron. Vous m'avez déjà fait perdre assez de temps comme cela.

— N'oubliez pas la visite de l'assistante sociale cet après-midi, lui rappela Stevos.

Tabby avait à peine signé le document que l'avocat lui en soumettait un second.

— C'est un accord de confidentialité concernant les termes de votre union avec M. Dimitrakos.

— Notre mariage est une farce et personne ne doit découvrir le pot aux roses, résuma crûment le milliardaire.

Réprimant un soupir, Tabby parapha l'accord et jeta un regard furtif à Acheron. Dans son costume anthracite à fines rayures assorties à sa chemise violette, il semblait tout droit sorti d'un magazine de mode. Sexy, élégant, sophistiqué, il happait son regard à chacune de ses apparitions. Un peu comme une œuvre d'art, que l'on admire sans ressentir le besoin de la posséder. Elle plaignait sincèrement les malheureuses qui espéraient mettre le grappin sur Acheron Dimitrakos…

Plus tôt dans la matinée, ils avaient pris le petit déjeuner ensemble. Ou, plus exactement, à la même table. Il n'avait pas baissé son journal une seule fois, pendant qu'elle grignotait ses toasts dans un silence religieux, de peur de le déranger. L'ambiance était si oppressante qu'elle avait décidé qu'elle prendrait dorénavant tous ses repas dans la cuisine.

— Vous avez besoin d'une robe de mariée. Mon assistante va vous accompagner en acheter une, annonça Acheron au moment où elle rattrapait Amber sur le point de tirer sur ses lacets. Il nous faudra également une nounou…

— Je n'ai pas besoin de robe de mariée. Encore moins d'une nounou, décréta fermement Tabby.

Deux yeux d'un noir de jais la transpercèrent de part en part.

— Je ne vous demande pas votre avis.

— Eh bien, je vous le donne quand même.

— Il vous *faut* une robe de mariée. Ce n'est pas négociable.

— Rien n'est négociable, avec vous.

— Sauf si vous faites un effort, murmura-t-il d'un ton doucereux.

Il parlait de sexe ; elle le devinait à son intonation, et plus encore à la lueur dangereuse dans ses yeux. Le rouge lui monta aux joues.

— Je vais être franche, dit-elle. Ce mariage n'est qu'une

imposture. Il ne signifie rien, pour moi. Je préfère réserver la robe de princesse pour le jour où je me marierai pour de vrai.

— Notre mariage doit paraître le plus normal possible, rétorqua sèchement Acheron. Aucune femme ne se marie sans falbalas.

Tout en parlant, il s'était rapproché d'elle. Amber tendit aussitôt les bras vers lui, un sourire radieux aux lèvres.

— Cajolez-la, ordonna Tabby en plaçant d'autorité la fillette dans ses bras. C'est en pratiquant qu'on s'améliore, n'est-ce pas ? Si je dois être convaincante en mariée, vous devez l'être dans le rôle du père adoptif.

Amber se mit à tirer avec enthousiasme sur sa cravate de soie. A la stupéfaction de Tabby et de l'avocat, un sourire éclaira le visage d'Acheron.

— Amber s'amuse vraiment d'un rien…

— Un bébé a des besoins simples, confirma Tabby, luttant contre l'effet de son sourire dévastateur.

Il lui donnait envie de sourire bêtement en retour. L'amusement du milliardaire l'attendrissait et faisait naître en elle une douce sensation de vertige.

— En ce qui concerne la nounou…

— Vous ne serez pas toujours disponible, trancha Acheron. Soyez raisonnable.

Se disputer avec lui quelques heures avant la visite des services sociaux ne l'avancerait à rien, songea Tabby. Après avoir pris une profonde inspiration, elle récupéra Amber sans tenir compte des véhémentes protestations de la fillette.

— Elle sait ce qu'elle veut, remarqua Acheron. Vous allez devoir faire preuve de fermeté, lorsqu'elle sera plus grande.

— Il semblerait.

— Je doute que vous ayez l'occasion de porter une robe de mariée « pour de vrai » avec une enfant à charge, poursuivit-il avec froideur. Pour ma part, je ne sors jamais avec des mères célibataires.

— Quelle surprise ! railla Tabby. Heureusement, tous les hommes ne sont pas des égoïstes uniquement préoccupés de leur confort…

— Je respecte mes limites.

— A d'autres ! Vous ne supportez pas l'idée de faire passer les besoins de quelqu'un d'autre avant les vôtres.

— Pourtant, je vous épouse…

— Seulement pour réparer vos torts envers Amber. Cela ne fait pas de vous le bienfaiteur de l'humanité.

Devant l'expression effarée de Stevos, elle rougit et quitta hâtivement la pièce avec Amber.

L'assistante d'Acheron, Sharma, les attendait dehors. Ensemble, elles prirent place dans la limousine, qui les déposa devant la plus luxueuse boutique de mariage de Londres. Tabby leva les yeux au ciel, mais s'abstint de tout commentaire. Pendant que Sharma jouait avec Amber, elle essaya différentes robes, avant d'opter pour la plus sobre d'entre elles, complétée par les accessoires que lui suggéra la vendeuse.

De retour à l'appartement d'Acheron, elle appela Jack afin de lui annoncer son mariage et l'inviter à la cérémonie civile prévue pour le lendemain.

— C'est une blague ? demanda Jack.

— Non. Je sais que ça peut paraître soudain, mais je sais ce que je fais. Acheron et moi planifions d'adopter Amber ensemble.

— Tu n'as jamais parlé de lui ! Depuis combien de temps vous voyez-vous ?

— Un moment. Je ne m'attendais pas à ce que les choses se concrétisent si vite, assura-t-elle, se haïssant de mentir à son meilleur ami.

— Voilà qui règle tous tes problèmes, conclut Jack avec un soulagement manifeste. Je m'inquiétais pour toi et Amber. Mais tout est bien qui finit bien…

*
* *

Acheron réapparut pile à l'heure de l'entretien avec l'assistante sociale. Tabby ne tarda pas à découvrir son talent pour embellir la vérité. A l'entendre, elle et lui se connaissaient depuis longtemps — bien plus qu'une seule journée. Leur visiteuse était si impressionnée par le milliardaire et son luxueux appartement qu'elle ne chercha d'ailleurs pas à approfondir son interrogatoire.

Une heure plus tard, Tabby donnait à manger à Amber dans la cuisine tout en picorant son propre repas, lorsque Acheron apparut sur le seuil, l'air furieux. Sans un mot, il souleva la chaise haute avec la fillette et tourna les talons.

— Hé ! Qu'est-ce que vous faites ? s'exclama Tabby en s'élançant derrière lui.

Il déposa la chaise dans la salle à manger, en bout de table.

— Nous prenons nos repas ici, ensemble. Je refuse que vous mangiez dans la cuisine comme une domestique. Nous sommes censés être un couple, je vous le rappelle.

— Je doute que votre personnel se soucie de savoir où je mange, rétorqua Tabby avec irritation.

— Il est crucial de donner le change. N'importe lequel d'entre eux peut contacter la presse et alors, adieu l'adoption d'Amber.

Tabby se figea.

— Je n'avais pas pensé à cela. N'avez-vous pas confiance en vos employés ?

— Pour la plupart, si. Mais on ne sait jamais.

Elle hocha la tête et alla dans la cuisine chercher son assiette et celle d'Amber. Il analysait chaque détail, chaque éventualité, n'écartant aucune menace. Cette méfiance suggérait qu'il avait déjà été trahi par un proche dans le passé. Pas étonnant qu'il ne fasse confiance à personne, songea-t-elle avec un serrement au cœur.

— Pourquoi mangiez-vous dans la cuisine ? s'enquit-il lorsqu'elle eut pris place à table.

— Je ne voulais pas vous déranger.

Son regard d'ébène se fit pénétrant.

— Je crois plutôt que vous êtes mal à l'aise en ma compagnie. Je l'ai remarqué, hier soir, au restaurant. Cela doit changer.

— Hier soir, j'étais incapable de déchiffrer le menu et ne savais même pas quels couverts utiliser, expliqua-t-elle, rouge de confusion.

Acheron éprouva une pointe de culpabilité. L'idée qu'elle puisse se sentir gênée dans son restaurant favori ne lui avait pas même effleuré l'esprit.

— Peu importent les couverts, *hara mou*…

— Pas quand vous ignorez lesquels utiliser.

— A l'avenir, demandez-moi, dit-il, irrité par son propre manque de considération. Je ne suis pas… sensible à ce genre de détails, si vous ne me prévenez pas. A propos, j'ai fait engager la nounou d'hier soir à plein temps et obtenu l'autorisation d'emmener Amber à l'étranger.

— A l'étranger ? s'exclama Tabby, surprise.

— Après le mariage, nous partons en Italie, où je possède une villa, annonça Acheron. Ce sera plus facile de maintenir l'illusion si nous nous isolons, vous ne croyez pas ?

Tabby se réveilla tôt le lendemain. Après tout, c'était son mariage, même s'il s'annonçait très différent du grand jour dont elle avait toujours rêvé. Pour commencer, Sonia ne serait pas sa demoiselle d'honneur, comme elles s'étaient promis de l'être l'une pour l'autre. Les larmes lui montèrent aux yeux à cette pensée. La perte de son amie était une blessure que rien ne semblait pouvoir jamais refermer. Par chance, il lui restait Jack. Mais Jack était un homme taciturne et sa petite amie, Emma, voyait d'un mauvais œil leur amitié, aussi Tabby limitait-elle leurs contacts.

Avec un soupir, elle alla lever Amber. Mélinda, la nounou nouvellement engagée, l'attendait dans la chambre du bébé. Elle avait oublié qu'elle n'était plus seule à s'occuper d'Amber, et la petite fille était déjà baignée, nourrie et habillée lorsqu'elle entra. Elle en éprouva un pincement au cœur. Le premier biberon d'Amber était d'ordinaire un moment privilégié de sa journée. L'accueil débordant d'amour de la fillette lui rappela cependant pourquoi elle épousait Acheron et se pliait à toutes ses exigences. Amber valait tous les sacrifices, se dit-elle avec émotion.

La cérémonie devait avoir lieu dans un somptueux château privé. Qu'un tel endroit ait pu être retenu dans un délai aussi bref impressionnait Tabby. Nul doute que le nom et la fortune d'Acheron y étaient pour quelque chose…

De son côté, Sharma avait fait venir un coiffeur et un maquilleur professionnels à l'appartement. Tabby espéra qu'ils parviendraient à lui donner un peu de l'élégance sophistiquée des compagnes habituelles d'Acheron puis se réprimanda aussitôt pour cette pensée. Après tout, que lui importait l'opinion du milliardaire ? Ou était-ce une question de fierté ?

Sharma l'aida à passer sa robe, tandis que le coiffeur ajustait le voile fixé à une couronne de fleurs d'oranger.

— Ces fleurs vous donnent l'air d'une princesse ! s'extasia Sharma. M. Dimitrakos va être ébloui !

Si elle savait ! songea Tabby qui avait presque oublié que la jeune assistante n'était pas dans le secret et croyait assister à un vrai mariage.

— Le patron est pressé de vous épouser. C'est si romantique ! continua Sharma. Moi qui le croyais froid et distant, j'ai changé d'avis en le voyant avec le bébé. La paternité, cela vous change un homme…

Seigneur ! Elle pensait qu'Acheron était le père d'Amber !

— Vous faites erreur, dit Tabby. Amber est la fille de ma meilleure amie et du cousin d'Acheron, tous les deux décédés.

Pas la plus gaie des informations… Mais au moins s'épargnait-elle un mensonge supplémentaire.

*
* *

Ash faisait les cent pas dans la grande salle du château. Il se sentait extrêmement nerveux. C'était peut-être un faux mariage, mais l'arrivée de sa belle-mère, Ianthe, accompagnée de ses deux fils, ainsi que de plusieurs amis lui conférait une troublante réalité. La perspective de jouer les jeunes mariés toute la journée l'épuisait d'avance mais, bien sûr, un mariage sans invités n'aurait pas été très convaincant. Par chance, la femme dont il redoutait plus que tout la présence ne s'était pas montrée.

Un bruit de moteur lui parvint de la cour. Il s'approcha de la fenêtre et vit une limousine ornée de rubans blancs se garer devant l'entrée. Tabby en descendit dans un nuage de tulle blanc, épaules dénudées, ses longs cheveux blonds flottant au vent sous le voile.

Ash serra les dents. Elle était vraiment à couper le souffle, à la fois féminine en diable et aussi délicate qu'une poupée. Il réprima la réaction purement masculine que lui provoquait cette vision. La chenille était devenue papillon, nota-t-il non sans ironie, prêtant à peine attention à Amber, adorable en robe rose et bandeau assorti, dans les bras de la nounou.

Tabby fut propulsée dans la grande salle, où la musique jouait déjà. Ses yeux balayèrent l'océan de visages avec appréhension, avant de se poser sur Acheron. Seigneur ! Il était encore plus sexy qu'à l'accoutumée ! La seule force de sa présence eut raison de toutes ses défenses. Leurs regards se rencontrèrent, sans qu'il cherche à dissimuler son manque d'enthousiasme, et l'éclat de ses yeux lui noua l'estomac. Les jambes en coton, elle remonta l'allée centrale et se plaça à ses côtés.

Les mots de la cérémonie lui parvinrent comme à travers un épais brouillard.

Elle devait penser à Amber, se répéta-t-elle comme un mantra. Céder au charme d'Acheron ne lui apporterait rien de bon, et pourrait même compromettre l'avenir de la fillette.

Ils procédèrent ensuite à l'échange des alliances. Acheron

retint un moment sa main dans la sienne, même lorsqu'elle tenta gentiment de se libérer. Quelques minutes plus tard, ils étaient assaillis par une foule de gens impatients de les féliciter, et les présentations furent faites.

La belle-mère d'Acheron était une blonde peroxydée à la voix stridente. Ses deux fils l'accompagnaient. Leur demi-frère en imposait visiblement, ce qui tendait à indiquer qu'il n'avait vraisemblablement jamais fait partie de la nouvelle famille de son père. Jack était venu avec Emma, qui se montra plus amicale que jamais. Ils discutèrent longuement, puis Tabby les quitta et buta sur Acheron, qui l'observait d'un air pincé.

— Qui est-ce ?

— Jack, un vieil ami et mon seul invité.

— Que sait-il de notre arrangement ? demanda-t-il avec brusquerie.

— Rien, répondit Tabby, déconcertée par sa réaction. Il croit que notre mariage est réel.

Au moment des toasts, une grande brune sculpturale moulée dans un tailleur bleu saphir fit irruption dans la salle. Tabby entendit quelqu'un émettre un grognement. Quelques secondes plus tard, elle leur tombait dessus.

— Mère, comment oses-tu participer à cette farce ? s'exclama-t-elle en foudroyant du regard la belle-mère d'Acheron. C'est moi qui aurais dû être la mariée !

— Allons, Kasma. Ne fais pas de scène, intervint l'un de ses frères, Siméon, d'un air gêné. Tu ne voudrais pas gâcher le mariage d'Ash, n'est-ce pas ?

— Ah ! Tu crois cela ?

Les yeux de Kasma lançaient des éclairs. Avec sa silhouette de rêve, ses traits réguliers et son opulente crinière sombre, elle était vraiment sublime, nota Tabby en se demandant quelle attitude adopter.

— Dis-moi, Ash, qu'a-t-elle de plus que moi ?

Au même moment, Amber se mit à pleurer, et Tabby en profita pour rejoindre Mélinda au fond de la salle. Après tout, ces histoires ne la concernaient pas. Acheron avait-il eu une aventure avec la fille de sa belle-mère ? Si oui, il devait s'en mordre les doigts. Elle comprenait mieux pourquoi il avait affirmé ne pas avoir de famille lors de leur première rencontre. La famille de son père s'adressait à lui poliment, comme à un étranger. A l'évidence, il n'avait jamais vécu parmi eux. Or, la mort de sa célèbre mère avait été annoncée à la télévision alors que Tabby était encore très jeune. Alors où avait-il passé le reste de son enfance ?

Amber dans les bras, elle s'éclipsa dans l'espace bébés. Avec un peu de chance, l'hystérique Kasma aurait disparu lorsqu'elle regagnerait la salle. Son espoir fut vite déçu…

Elle venait à peine de déshabiller la fillette quand la porte s'ouvrit sur la brune incendiaire.

— Est-ce l'enfant d'Ash ? demanda-t-elle abruptement.

Tabby finit de changer Amber, qui gigotait dans tous les sens pour apercevoir la visiteuse.

— Non.

— C'est bien ce que je pensais. Ash n'a jamais eu la fibre paternelle.

Tabby sentit l'exaspération la gagner.

— Ecoutez, je ne sais pas qui vous êtes, mais je suis occupée et…

— Vous savez pourquoi Ash vous épouse, n'est-ce pas ? continua Kasma d'un ton acerbe. En réalité, c'est moi qui aurais dû occuper votre place. Personne ne le comprend mieux que moi. Hélas ! il est trop fier pour obéir et faire ce qui aurait dû être fait il y a longtemps.

— J'ignore de quoi vous parlez et ne tiens pas à le savoir, répondit Tabby, mal à l'aise.

— Comment pouvez-vous dire cela alors que votre mariage avec Ash lui rapporte une fortune ? s'exclama la jeune femme de la même voix stridente que sa mère. Selon le testament de son père, il devait se marier avant la fin de l'année, sans quoi la moitié de DT Industries reviendrait à ma famille. Et quiconque connaît Ash sait qu'il est prêt à tout pour protéger sa société…

Tabby se figea. Elle savait déjà ce qui allait suivre.

— … y compris épouser la première moins-que-rien venue !

5.

Les accusations de Kasma bourdonnaient aux oreilles de Tabby dans l'avion qui l'emmenait en Italie. Après le départ de la jeune Grecque, le repas s'était déroulé sans anicroche, mais elle n'avait pas eu un seul instant en privé avec Acheron pour le questionner. A présent, avec Mélinda dans la cabine, elle ne se sentait pas davantage libre d'aborder le sujet.

Acheron l'avait-il épousée pour des raisons purement égoïstes ? Etant donné qu'il s'était jusque-là totalement désintéressé d'Amber, c'était tout à fait plausible. Elle aurait dû se méfier de ce virage à cent quatre-vingts degrés. Comme il devait la trouver idiote ! Elle se sentait doublement trahie, par le manque d'honnêteté d'Acheron et par sa propre naïveté. Quels étaient les termes exacts du testament de son père ? Comment pouvait-il perdre la moitié d'une société qui lui appartenait ? Et si Kasma avait raison, pourquoi ne pas lui avoir simplement expliqué la situation ?

La réponse à cette question était évidente : pour garder le pouvoir ! Une colère sourde l'envahit. Persuadée qu'il lui faisait une faveur, qu'il se sacrifiait en l'épousant pour le bien d'Amber, elle avait accepté, par gratitude, de se soumettre. Mais s'il en allait autrement ? S'il avait besoin d'une gentille petite épouse autant qu'elle avait besoin de son soutien pour adopter Amber ? Cela changeait la donne : ils se retrouvaient sur un pied d'égalité. Or, Acheron n'avait jamais été prêt à la traiter en égale. Non, il préférait aboyer des ordres plutôt que chercher un compromis. Eh bien, si Kasma avait dit vrai, cette période était révolue !

— Vous êtes bien silencieuse, remarqua Acheron dans la voiture qui sillonnait la campagne toscane.

Avant leur départ de Londres, Tabby s'était changée, troquant sa robe de mariée contre la robe violette qu'il avait personnellement choisie pour elle. Il en éprouvait à présent une étrange déception. Les manches longues et l'épais tissu ne convenaient pas à l'agréable climat toscan. Malgré l'air conditionné, ses joues avaient rosi, ce qui rehaussait cependant l'éclat de ses yeux et rendait plus appétissante encore sa jolie bouche.

Il baissa les yeux, seulement pour les poser sur un genou fin et pâle. Sa peau avait l'air incroyablement douce, si douce qu'il mourait d'envie de la caresser. Cette pulsion intempestive l'irrita. Il n'avait pas soupçonné le challenge que représenterait le fait de maintenir une relation platonique avec Tabby Glover. A l'évidence, il était en manque de sexe. Pour quelle autre raison, sinon, la trouverait-il si attirante ?

— J'admire la vue, répondit Tabby d'une voix guindée.

Sa colère contre Acheron ne désenflait pas, à tel point qu'elle devait se mordre la lèvre pour ne pas y céder — pas dans l'espace confiné de la voiture.

— Où allons-nous, exactement ?

— Dans l'une de mes villas, dans les collines. Comme la plupart de mes propriétés, elle appartenait à ma mère. Je l'ai fait rénover l'année dernière.

La curiosité de Tabby prit temporairement le pas sur sa rancune.

— Votre mère est décédée quand vous étiez très jeune, n'est-ce pas ?

Le visage d'Acheron se crispa, et une ombre passa dans ses yeux.

— En effet.

— Moi aussi, j'ai perdu mes parents très jeune, reprit-elle, dans un effort pour combler le silence qui s'était installé entre eux. J'ai été envoyée en famille d'accueil. C'est là que j'ai rencontré Jack et Sonia, la mère d'Amber.

— J'ignorais que vous aviez grandi dans ce genre de structure, commenta Ash.

Cette information le troubla. Ainsi, elle aussi avait connu la tristesse et l'instabilité des familles d'accueil. A la différence qu'elle n'avait pas bénéficié du secours d'un héritage colossal…

Tabby croisa le regard impénétrable d'Acheron et eut l'impression d'être aspirée dans une spirale infinie.

— Ce ne sont pas les années les plus heureuses de ma vie, admit-elle. Mais je garde un bon souvenir de ma dernière famille d'accueil. Au moins, Jack, Sonia et moi étions ensemble.

Le silence qu'il lui opposa mit un terme à la conversation. Agacée par l'émoi qu'il suscitait en elle, Tabby se concentra sur sa colère. D'accord, Acheron était beau comme un dieu et mettait ses hormones en ébullition. Mais c'était aussi un manipulateur sans scrupule, elle ne devait pas l'oublier. S'était-il intéressé à son passé ? Au genre de personne qu'elle était ? Non. Peut-être ne la voyait-il même pas comme une personne. Tout juste comme un pion bon à servir ses intérêts.

Après un dernier virage, la voiture s'engagea dans une allée en pente menant à une somptueuse bâtisse couleur ocre perchée sur une colline. Tabby en resta bouche bée. Ça, une villa ? Dans son vocabulaire, c'était un palais ! Au centre d'une cour pavée, une large fontaine entourée de grands pots en pierre débordant de fleurs multicolores s'élevait, projetant sa gerbe d'eau iridescente dans un élégant bassin circulaire.

Comme elle descendait de voiture, un mouvement dans un bosquet attira son attention. Quelle ne fut sa surprise d'en voir émerger un magnifique paon blanc, qui déploya ses plumes tel un éventail de dentelle scintillant dans la lumière du soleil couchant. Il prit fièrement la pose, sûr de sa superbe malgré sa solitude.

— Vous me faites penser à cet oiseau, murmura Tabby.

Acheron arqua un sourcil interrogateur. Gênée, elle haussa les épaules.

— Rien, oubliez cela. M'accorderiez-vous un mot en privé ?

— Certainement.

Son froncement de sourcils ne lui échappa pas tandis qu'elle rejoignait Mélinda et Amber, arrivées avec l'équipe de gardes du corps dans la seconde voiture. Epuisée par le long voyage, la petite fille dormait à poings fermés. Un dernier biberon, et la nounou n'aurait plus qu'à la mettre au lit.

Le vaste vestibule, avec son sol de marbre et ses élégantes arches, laissa Tabby sans voix. Elle ignorait qu'il existât autant de nuances de blanc. L'endroit semblait totalement inadapté à la présence d'un enfant. Par chance, ils ne resteraient pas longtemps, et comme Amber ne se déplaçait pas encore, ni les angles des tables basses de verre ni les sculptures exposées çà et là ne présenteraient un danger pour elle.

Après que Mélinda se fut éloignée avec l'intendante, la fillette endormie dans les bras, Tabby se tourna vers Acheron.

— Impressionnant…

— J'ai plusieurs coups de fil à passer, la coupa-t-il abruptement.

Là-dessus, il tourna les talons. Tabby s'arracha à la contemplation de ses larges épaules pour l'interpeller de nouveau.

— Il faut que nous parlions.

Acheron serra les dents. Il ne comptait plus le nombre de fois où il avait entendu cette phrase. S'ensuivait généralement une scène interminable où lui était reproché avec force cris et larmes son manque d'attention. Il détestait cela.

— Pas maintenant.

— Si, *maintenant*, rétorqua Tabby d'un ton sans réplique. S'il croyait pouvoir l'envoyer paître comme la « première moins-que-rien venue », pour citer Kasma, il se fourrait le doigt dans l'œil. A trop le traiter en être supérieur, elle risquait de finir par y croire…

— Que voulez-vous ? s'enquit-il avec froideur.

Elle passa dans la pièce attenante, un vaste salon meublé de confortables sofas blancs, et lui fit bravement face.

— Est-il vrai qu'afin de conserver votre société le testament de votre père vous obligeait à vous marier avant la fin de l'année ?

La mâchoire d'Acheron se crispa.

— Qui vous a raconté cela ?

Et, dans un éclair de compréhension :

— Kasma, bien sûr…

— Elle disait donc la vérité, conclut Tabby avec une colère renouvelée.

— Les termes du testament de mon père ne vous regardent pas, rétorqua Acheron, le regard glacial.

Mais Tabby était résolue à ne pas se laisser intimider.

— Comment osez-vous dire cela alors que notre mariage vous arrange autant que moi ? Ne croyez-vous pas que j'avais le droit de le savoir ?

— Quelle différence cela fait-il ?

— Une *énorme* différence ! Vous m'avez fait croire que vous me faisiez une faveur dans l'intérêt d'Amber !

— N'est-ce pas le cas ? siffla Acheron sans cacher son mépris.

— Votre grossièreté dépasse la mesure ! s'exclama Tabby, excédée par ses airs supérieurs. Pour commencer, vous m'interrompez. Ensuite, vous me toisez comme si je n'étais qu'un vulgaire insecte. J'ai été franche avec vous, mais vous et votre avocat m'avez dupée !

Ash sentait sa patience fondre comme neige au soleil.

— Dupée ? Et de quelle façon ? J'ai tenu ma promesse.

Je vous ai épousée et soutenue dans votre demande d'adoption, tout en assurant votre avenir. La plupart des femmes tueraient pour la moitié de ce que je vous offre.

Tabby serra les poings. Croyait-il que sa fortune le plaçait au-dessus du commun des mortels et l'exemptait de toute droiture morale ?

— Vous êtes si arrogant que je ne sais pas ce qui me retient de vous gifler ! lança-t-elle. J'ai été honnête avec vous. Il me semble que je mérite le même respect en retour…

— Vous avez une drôle de notion du respect, repartit Acheron avec un rictus méprisant.

— Est-ce de cette manière que vous réglez vos conflits ?

— Je n'ai *jamais* de conflits.

— Uniquement parce que les gens passent leur temps à vous flatter. Pas parce qu'ils sont d'accord avec vous ! rétorqua-t-elle, exaspérée. Vous n'êtes qu'un lâche prêt à tout pour esquiver la confrontation…

— Cette discussion n'a pas lieu d'être, l'interrompit-il sèchement. Je n'ai pas pour habitude de dévoiler ma vie privée à tout venant. Le contenu du testament de mon père est confidentiel et ne regarde que moi.

Un instant désarçonnée, Tabby se reprit et rejeta l'argument.

— J'étais en droit de savoir que je n'avais pas à être reconnaissante, ni à me soumettre à vos exigences ! Vous avez utilisé mon ignorance contre moi !

— Le testament influe uniquement sur mes affaires. Il n'a rien à voir avec vous.

— Bien sûr que si ! Le fait que vous ayez besoin de ce mariage autant que moi rééquilibre la balance.

— Et maintenant que vous êtes ma femme, vous profitez de votre position pour la faire pencher de votre côté, fulmina Acheron.

Elle darda sur lui un regard assassin. Une pointe d'amusement le gagna malgré lui face à cette furie miniature, adorable avec ses petits poings sur les hanches.

— Moi, je profite de ma position ? s'exclama-t-elle.

Comment ? En vous tenant tête ? En faisant valoir mes droits ?

Rapide comme l'éclair, il lui enserra les poignets dans le dos et la plaqua contre lui.

— Vous n'avez aucun droit à faire valoir, *moraki mou*…

— Lâchez-moi ou je vous mets un coup de pied ! cria Tabby, folle de rage.

Pour toute réponse, il resserra son étreinte, tout en emprisonnant ses jambes de l'une des siennes de façon à l'immobiliser entièrement.

— Il n'y aura ni coups de pied, ni gifles…

— Sale brute ! Pour qui vous prenez-vous ?

— Votre mari.

C'était la première fois qu'il prenait conscience de cette réalité, qui l'amusa autant qu'elle l'irrita.

— Vous n'êtes pas mon mari ! protesta Tabby avec fureur, alors même qu'un feu ardent l'envahissait au contact du corps d'Acheron.

— Non ? Alors que suis-je ?

— Un mufle avec un certificat de mariage !

Le regard d'Acheron se fit moqueur.

— Et avec lequel vous êtes coincée…

— Libérez-moi ou vous allez le regretter ! menaça Tabby.

— Non. Je préfère vous garder prisonnière plutôt que vous écouter crier.

— Je ne criais pas !

— Oh que si ! Ce n'est pas ainsi que je conduis mes affaires.

— Je me fiche bien de savoir comment vous conduisez vos affaires ! siffla Tabby entre ses dents.

Un brusque désir s'empara d'Acheron. Avec Tabby Glover, il avait l'impression de redevenir un adolescent à la merci de ses hormones. C'était quelque chose dans ses yeux violets, dans sa bouche qui évoquait un fruit mûr… Quelque chose qu'il ne comprenait pas et dont, franchement, il se souciait comme d'une guigne. N'obéissant qu'à son instinct, il prit ses lèvres, se gorgeant de leur goût sucré, un goût de fraise aux saveurs d'été.

— Non… Non…

Tabby s'adressait autant à elle-même qu'à Acheron. Ses protestations furent rapidement étouffées sous la pression avide de sa bouche. Personne ne l'avait jamais embrassée avec une telle passion, qu'il gardait murée en lui mais qu'elle percevait chaque fois qu'elle se trouvait en sa présence. Ses lèvres exigeaient, provoquaient, et leur autorité sur les siennes, alliée à l'exploration sensuelle de sa langue, l'excitait follement.

Il était vraiment *très* sexy, pensa-t-elle, comme s'il s'agissait d'une excuse valable. Lorsqu'il lâcha ses poignets, loin d'en profiter pour se libérer, elle prit appui sur son épaule tandis que son autre main plongeait dans la masse luxuriante de ses cheveux noirs. Avec un grognement rauque, il la poussa sur une surface moelleuse et s'appuya de tout son poids sur elle.

Une sonnette d'alarme tinta dans la tête de Tabby. Pas assez fort, cependant, pour supplanter le plaisir que lui procurait ce corps musclé pressé sur le sien. Chaque cellule de son être vibrait d'électricité, et plus encore lorsque les doigts d'Acheron s'emparèrent de l'un de ses seins. Une nouvelle vague de sensations la submergea. Le désir montait en elle, si intense qu'elle ne savait plus ce qu'elle faisait. Rien n'avait jamais été plus excitant que ses baisers, plus nécessaire que ses caresses. Son corps tout entier frémissait d'impatience.

Soudain, des bruits bien réels s'insinuèrent dans sa bulle : un tintement de vaisselle, une exclamation étouffée, des pas s'éloignant à la hâte.

— Qu'est-ce que c'est ? s'exclama-t-elle, s'arrachant au baiser d'Acheron…

… pour prendre conscience qu'elle était allongée sous lui sur un sofa.

Sous lui ! Prise de panique, elle chercha frénétiquement à se dégager.

— Allons au lit, susurra Acheron en la retenant.

Evidemment ! pensa-t-elle, furieuse. Pour lui, c'était aussi simple que cela. Comme elle se haïssait d'avoir cédé !

D'une main tremblante, elle remit un peu d'ordre dans ses cheveux. Ses joues étaient en feu tant elle était mortifiée.

— Non. Ce ne serait pas… convenable.

— On peut rester sur le sofa, si vous préférez…

— Il ne s'agit pas de cela ! Nous ne coucherons pas ensemble, décréta-t-elle fermement, ignorant la sensation de chaleur qui persistait dans le creux de son ventre.

Elle ne serait pas la dernière d'une longue liste de maîtresses d'un soir, tout juste bonne à assouvir les pulsions d'un homme incapable de se passer de sexe.

Mais lorsque Acheron roula sur le côté et s'affala près d'elle sur le sofa, elle ne put que constater à quel point leur petite joute l'avait excité. Impossible de détacher les yeux de la formidable bosse sous son jean. Jamais désir aussi puissant ne l'avait assaillie. Soudain, elle comprit pourquoi elle était toujours vierge : aucun homme ne l'avait encore attirée au point d'éveiller en elle un désir purement *sexuel*. Car ce serait uniquement cela, du sexe pour le sexe, sans faux-semblant ni attaches. Pas vraiment ce à quoi aspirait une femme raisonnable. Or, elle *était* une femme raisonnable.

Alors pourquoi, tout en rétablissant soigneusement ses défenses, continuait-elle à admirer la beauté virile du corps d'Acheron ?

— Vous avez envie de moi, reprit-il. Et j'ai envie de vous.

— Etrange, n'est-ce pas, alors que nous sommes incapables du moindre échange civilisé…

Chassant l'image de leurs corps enlacés sur le sofa, elle se leva et défroissa sa robe.

— Vous me rendez fou de désir, *hara mou*…

— Vous et moi ? Ce serait une très mauvaise idée.

Nous n'avons rien en commun. A présent, j'aimerais voir ma chambre, conclut-elle en se dirigeant résolument vers le vestibule.

— Je vais vous y conduire. Je crains que nous n'ayons effrayé les domestiques, dit Acheron en riant. L'un d'eux a dû nous surprendre en apportant le café, d'où le bruit entendu tout à l'heure.

— Je n'ose imaginer ce qu'il a vu, marmonna Tabby, pressée de changer de sujet.

— Cela fait au moins une personne qui nous croit bel et bien en lune de miel, répondit-il avec nonchalance.

— Mais nous ne le sommes pas, lui rappela-t-elle en le suivant dans l'imposant escalier en marbre.

— On ne peut pas dire que vous soyez très flexible…

— Vous me feriez plier, si je l'étais, repartit-elle. Je suis toujours furieuse, Acheron. Vous avez profité de ma candeur…

— Le profit est ce qui gouverne ma vie, répliqua-t-il sans manifester le moindre remords. Mais j'avoue que je ne m'attendais pas à être démasqué.

Tout en parlant, ils étaient arrivés dans un petit hall au fond d'un couloir donnant sur deux portes.

— Voilà ma chambre, annonça Acheron en poussant la première.

Puis il ouvrit l'autre.

— Et voici la vôtre.

— Si proches ? fit Tabby avec inquiétude.

— Je ne suis pas somnambule, assura-t-il avec un sourire. Mais si vous avez envie de me rendre visite, n'hésitez pas…

— Aucune chance.

Elle entra dans la chambre et inspecta la salle de bains attenante avant de faire de même avec le dressing. Il était rempli de vêtements de femme.

— Votre dernière petite amie a laissé sa garde-robe derrière elle ?

— Ces vêtements sont les vôtres. Je les ai commandés pour vous, expliqua Acheron.

Tabby fut prise de colère.

— Je ne suis pas une poupée que vous habillez à votre guise !

— J'ai plutôt envie de vous déshabiller, *moraki mou.*

Les joues de la jeune femme s'empourprèrent.

— Vous êtes adorable, quand vous rougissez, lança Acheron.

Il s'en alla, un sourire amusé aux lèvres, par une porte qu'elle n'avait pas encore remarquée et qui menait vraisemblablement à sa chambre.

La première impulsion de Tabby fut de tourner le verrou, puis elle changea d'avis. Elle avait confiance en Acheron. Jamais il ne prendrait de force ce qu'elle n'était pas prête à offrir. Si elle résistait à ses tentatives de séduction, nul doute qu'il se trouverait rapidement une nouvelle proie, bien plus excitante et expérimentée. Cette idée, pourtant, la perturbait. Elle détestait l'imaginer avec une autre femme...

Ça suffit ! se tança-t-elle. Soit ils étaient ensemble, soit ils ne l'étaient pas. Il n'y avait pas de juste milieu.

Acheron entra sous la douche et tourna le robinet d'eau froide. Son érection n'avait pas diminué. Aucune femme n'avait jamais repoussé ses avances, et la résolution de Tabby lui restait en travers de la gorge. Mais c'était aussi un avertissement, décida-t-il en balayant les fantasmes qu'elle lui inspirait. Si elle attachait autant d'importance au sexe, mieux valait garder ses distances. Le sexe, pour lui, n'était rien de plus qu'une pulsion physique nécessitant d'être régulièrement assouvie.

Pendant ce temps, furieuse qu'Acheron ait agi sans la consulter, Tabby passait en revue sa nouvelle garde-robe. Elle opta pour une robe longue en coton léger cachant ses attraits féminins. S'il ne la touchait pas, elle ne céderait pas à ses caresses, CQFD. Dire qu'elle avait été à deux doigts de lui arracher ses vêtements, sur ce sofa ! La violence de son désir la laissait sous le choc. Quoi qu'il en soit, les choses n'iraient pas plus loin. Il avait beau être riche, sexy et manipulateur, elle avait toujours su se protéger.

Lui résister ne serait en aucun cas une gageure.

Rassérénée, elle fit un brin de toilette, se changea et sortit en quête de la nursery.

6.

— Parlez-moi de vous, dit Acheron en se laissant aller contre le dossier de sa chaise, un verre à la main.

Tabby n'était pas à l'aise. La vaste salle à manger, la table ornée de fleurs, les plats sophistiqués, tout était trop chic pour leur premier repas en tant que mari et femme. Elle avait l'impression d'être Cendrillon arrivant au bal, à la différence qu'aucun prince ne l'attendait. Le regard d'Acheron sur elle chaque fois qu'elle jetait un coup d'œil pour voir quel couvert il utilisait l'emplissait de honte. Quelle idée avait-elle eue, aussi, de lui avouer son ignorance !

— Que voulez-vous savoir ? demanda-t-elle.

— Eh bien… commençons par votre enfance.

Il semblait parfaitement détendu, en jean délavé et chemise noire ouverte au col. Elle s'était plutôt attendue à ce qu'il passe un smoking pour le dîner. N'était-ce pas ce que faisaient les gens fortunés dans les feuilletons télévisés ? Acheron, lui, avait opté pour un style décontracté qui, bien sûr, le rendait encore plus séduisant, nota-t-elle avec irritation. Ses cheveux noirs bouclaient légèrement sur sa nuque, encore humides de la douche, et une ombre de barbe couvrait sa mâchoire. Quant à ses yeux sombres, ils la fixaient avec une intensité qu'elle ne parvenait pas à déchiffrer.

— Mon enfance n'est pas jolie jolie, l'avertit-elle.

Il balaya son objection d'un haussement d'épaules. Dos raide et regard lointain, elle se lança.

— Je suis née par accident. Mes parents n'étaient même pas mariés. Ma mère m'a dit un jour que s'ils m'avaient gardée, c'était uniquement parce que je leur donnais droit à des allocations et à un meilleur logement. Elle et mon père étaient tous deux toxicomanes…

Acheron se redressa brusquement, les sourcils froncés.

— Des junkies ?

— Je vous avais prévenu… Ils passaient leur temps sous l'emprise de la drogue, ou à se disputer sans s'occuper de moi. Je n'étais que la gamine qui traînait dans leurs jambes. Un enfant a des besoins, mais ils s'en fichaient éperdument…

Acheron était sous le choc des révélations de Tabby. Il se retint *in extremis* de lui avouer son secret le mieux gardé, qui les rapprochait plus qu'elle ne l'imaginait.

— Cela suffira ?

— Je veux tout savoir, dit-il avec une impassibilité feinte.

Le tempérament belliqueux de Tabby prenait soudain tout son sens, pour lui. Elle aussi avait grandi dans la solitude et l'insécurité, et avait été contrainte très jeune de se battre pour sa survie.

— A l'école, j'étais la fille mal fagotée, continua-t-elle. Enfin… quand mes parents m'y envoyaient. Mon père a commencé à m'entraîner dans ses cambriolages en m'obligeant à faire le guet…

Elle haïssait chaque mot qu'elle prononçait, haïssait son passé trouble. Mais elle était assez forte pour l'affronter et avait depuis longtemps tourné la page. Elle tenait à ce qu'Acheron le sache.

— Un jour, mon père a été pris sur le fait et les services sociaux sont intervenus. Comme je manquais souvent l'école et que mes parents étaient incapables de s'occuper de moi, ils m'ont envoyée en famille d'accueil.

— Comme moi, murmura Acheron. J'avais dix ans. Et vous ?

Tabby ouvrit des yeux ébahis.

— *Vous ?* C'est impossible ! Vos parents étaient riches !

— Mais pas plus responsables que les vôtres. L'argent de ma mère ne m'a pas protégé. Il n'a protégé qu'*elle*, jusqu'à sa mort par overdose. Ses avocats lui ont fait quitter le pays afin de lui épargner des poursuites pour négligence.

Tabby n'en revenait pas. Acheron Dimitrakos, le milliardaire arrogant et sûr de lui que rien ne semblait atteindre, avait vécu en famille d'accueil ! Soudain, elle regrettait de l'avoir jugé si durement…

— Et votre père ? s'enquit-elle.

— Son mariage avec ma mère n'a pas duré. Lorsqu'elle s'est lassée de lui, elle a prétendu que l'enfant qu'elle portait — moi — était celui d'un ancien amant… et il l'a crue, expliqua Acheron. Il n'aurait de toute façon jamais obtenu ma garde, face à elle. Je l'ai rencontré pour la première fois il y a quelques années seulement. Il est venu me voir à Londres après avoir vu une photo de moi dans un journal et remarqué la ressemblance.

— Qu'a fait votre mère, ensuite ?

— Pas grand-chose. Les curateurs chargés de gérer sa fortune payaient des gens pour s'occuper d'elle et dissimuler ses pires excès à la presse. Elle aussi était toxicomane, confessa-t-il, la mâchoire serrée. Elle planait la plupart du temps, et aucune nounou n'a jamais été engagée. Je me débrouillais donc seul, ce qui a fini par attirer l'attention des autorités. Je n'avais aucun autre parent pour me recueillir…

Son regard se voila à cette évocation pénible. Tabby sentit sa gorge se nouer. Sans réfléchir, elle tendit la main par-dessus la table et la posa sur la sienne.

— Je suis désolée.

Ses longs doigts bronzés se mêlèrent aux siens, et il fixa leurs mains jointes d'un air stupéfait, comme s'il ne s'expliquait pas comment le contact s'était opéré.

— Vous n'avez pas à être désolée. J'ai sans doute eu plus de chance que vous. Avez-vous été… maltraitée ?

Elle se figea.

— Oui…

— Les abus physiques n'ont commencé qu'*après* que j'ai été envoyé en famille d'accueil, murmura Acheron. Entre-temps, j'étais devenu un sale gosse insupportable. Peut-être méritais-je ce qui m'arrivait…

— Aucun enfant ne mérite de souffrir !

— Pendant deux ans, j'ai vécu un véritable enfer, ballotté de famille en famille. Puis, à la mort de ma mère, ses curateurs sont intervenus et j'ai passé le reste de mon adolescence en pensionnat.

Le cœur de Tabby se serra. Comme elle, Acheron avait grandi privé d'amour et de la sécurité d'un foyer stable. Dire qu'elle l'avait jugé sur le simple fait que sa mère était une riche héritière grecque ! Comment avait-elle pu se fourvoyer à ce point ?

— On n'oublie jamais, n'est-ce pas ? Ce terrible sentiment d'impuissance…

— Non, dit-il en retirant sa main. On le laisse derrière soi et on tourne la page.

— Mais il reste là, enfoui en nous…

Leurs regards se rencontrèrent. Quelque chose passa entre eux, une entente furtive qui réchauffa Tabby.

— Pas avec de la discipline.

— Parlez-moi du testament de votre père, reprit-elle.

— Une autre fois. Nous avons remué assez de souvenirs personnels pour ce soir, vous ne croyez pas ?

La force de son regard de jais la dissuada d'insister. Pour un homme attaché à sa vie privée, il s'était montré d'une remarquable franchise, sans que rien ne l'y oblige. Elle n'avait jamais rien lu dans la presse au sujet de son enfance. Ravalant ses questions, elle entama avec gourmandise le dessert qu'on venait de leur servir.

— J'adore la meringue, confessa-t-elle. Celle-ci est parfaite, croquante à l'extérieur et fondante à l'intérieur.

— Un peu comme vous, remarqua Acheron avec un

sourire. Pugnace en apparence, mais tendre et sensible quand il s'agit d'élever l'enfant d'une autre.

Le cœur de Tabby s'emballa.

— Je veux seulement offrir à Amber ce que je n'ai jamais connu.

— Une ambition admirable. Pour ma part, je n'ai jamais souhaité avoir d'enfants…

Il s'interrompit en la voyant rattraper du bout de la langue une miette de meringue logée au coin de ses lèvres. Son corps réagit instantanément. A la seule pensée de ce que cette langue pourrait lui faire, il sentit son désir échapper à tout contrôle. Une faiblesse qui ne lui ressemblait pas et l'exaspérait…

Embarrassée par le regard d'Acheron qui suivait chacun de ses gestes, Tabby replongea la cuiller dans la meringue et la porta à sa bouche.

— Je n'y avais jamais vraiment réfléchi. Mais j'étais avec Sonia quand Amber est née, expliqua-t-elle. J'ai dû m'en occuper le temps que Sonia se remette de son AVC, et je me suis immédiatement attachée à elle. Puis Sonia a eu sa seconde crise qui l'a emportée…

Elle soutint le regard d'Acheron.

— Pourriez-vous arrêter de me fixer, s'il vous plaît ?

— Seulement si vous arrêtez de jouer avec votre cuiller, répondit-il d'une voix suave. Quoique vous feriez un succulent dessert, allongée nue sur cette table…

Rouge de confusion, Tabby lâcha bruyamment sa cuiller.

— Vous arrive-t-il de penser à autre chose qu'au sexe ?

— Avouez que vous y pensez aussi…

La lueur concupiscente dans ses yeux accentua son trouble. Comment le contredire, quand sa virilité brute éveillait tous ses instincts les plus sauvages ? Elle brûlait d'envie d'arracher du passage la table qui les séparait, d'embrasser cette mâchoire sévère et le triangle de peau bronzée découvert par la chemise, de le toucher, de l'*explorer*.

A cette pensée, ses mamelons se durcirent et un torrent de lave déferla dans ses veines.

C'était donc cela, désirer sexuellement un homme ? Eh bien, elle allait faire face comme une femme. Pas comme une adolescente timorée.

Acheron repoussa sa chaise et se leva, la dominant de toute sa hauteur.

— Venez…

— Non, asseyez-vous, ordonna Tabby d'une voix mal assurée.

Elle savait exactement où il voulait l'emmener et, à son grand désarroi, elle n'avait jamais été autant tentée de le suivre.

— Ne me regardez pas avec ces yeux-là pour ensuite me repousser, *hara mou*…

En une enjambée, il l'avait rejointe. Il tira sa chaise en arrière.

— Il faut bien que l'un de nous soit raisonnable, protesta désespérément Tabby.

— Pourquoi ? Nous sommes deux adultes libres de nos actions.

— Ce serait immoral…

— Vous vous abritez derrière un rempart de principes irrationnels, répliqua-t-il, son souffle chaud balayant sa gorge. Mais moi aussi, je peux vous protéger…

D'un geste leste, il la souleva contre lui comme une enfant.

La protéger ? Alors qu'il lui était si facile de réduire ses arguments à néant et la faire — littéralement — tomber dans ses bras…

— Je ne me sens pas en sécurité, avec vous…, murmura-t-elle, ses doigts irrésistiblement attirés vers sa mâchoire finement sculptée.

— Vous ne faites confiance à personne. Comme moi. Cependant, je vous promets de ne pas vous mentir.

— Pas très rassurant, de la part d'un homme capable de donner des conseils à Machiavel lui-même…

Acheron éclata de rire tandis qu'il s'engageait dans l'escalier de marbre.

Impossible de reculer, désormais, Tabby le savait. Elle n'avait qu'une envie : offrir sa bouche à la voracité de la sienne.

A l'étage, il la déposa sur le sol et prit sa main, comme s'il craignait qu'elle ne s'échappe, et l'entraîna dans sa chambre.

— Le grand moment, annonça-t-il. Notre nuit de noces…

— Nous ne sommes pas *vraiment* mariés, objecta Tabby, tendue à l'extrême. Soyons honnêtes. Ni vous ni moi n'avons jamais eu l'intention de prendre ce mariage au sérieux. L'alliance que je porte ne signifie rien.

Ash réprima sa surprise. Quelle autre femme lui aurait rappelé cette vérité à ce moment ? Ou serait entrée dans sa chambre sans la moindre arrière-pensée ? A bien des égards, Tabby était une bouffée d'air frais dans sa vie…

— Un moment aussi excitant signifie forcément quelque chose, répondit-il en l'attirant à lui.

— Simple réaction hormonale.

— Vous êtes bien sûre de vous, pour quelqu'un qui ignore tout de ce qu'il va se passer dans ce lit…

— Je suis vierge, pas stupide, souligna Tabby.

Alors que faisait-elle dans les bras de cet homme, au mépris de ses règles de protection ? se demanda-t-elle. Elle se plaçait volontairement à sa merci !

— Ce n'est que du sexe, dit-elle dans un effort d'auto-persuasion.

— Du sexe qui s'annonce inoubliable, rectifia Acheron en lui dénudant une épaule qu'il couvrit de baisers.

— J'aime votre assurance…

— Tiens, tiens… Je croyais qu'elle vous agaçait ?

— Taisez-vous.

Elle s'accrocha à son cou, et il la souleva contre lui pour la déposer au pied du lit.

— Je ne veux pas vous faire mal, *hara mou*…

— Si j'ai mal, tant pis, répondit Tabby avec pragmatisme.

Elle refusait de céder à l'appréhension qui la gagnait. A part Amber, personne ne l'avait jamais chamboulée à ce point, que ce soit physiquement ou émotionnellement. Elle s'était entichée de lui sur un coup de tête, voilà tout. Cette toquade lui passerait bien assez tôt.

— Ce n'est que pour un soir, n'est-ce pas ? demanda-t-elle à brûle-pourpoint.

Acheron, occupé à lui retirer ses chaussures, leva vers elle un regard amusé.

— On ne peut pas tout planifier, Tabby.

— Moi, si. J'ai besoin de savoir où je vais et…

La fin de sa phrase se perdit sur les lèvres d'Acheron. Son anxiété s'évanouit aussitôt, chassée par la fièvre qui s'emparait de ses sens. Elle voulait plus… tellement plus…

Répondant à ses prières muettes, Acheron dégrafa sa robe, avec une dextérité qui en disait long sur le nombre de femmes qui l'avaient précédée. Cette pensée la refroidit.

— Qu'y a-t-il ? s'enquit-il, visiblement sensible à sa tension.

Elle se mordit la lèvre. Etait-elle une de ces femmes maladivement jalouses ? Comment le savoir, puisqu'elle n'avait jamais vécu de relation sérieuse avec un homme ? Acheron était le premier à la voir ainsi, en soutien-gorge et culotte, frissonnante malgré la chaleur ambiante.

— Rien, mentit-elle. Vous êtes très doué pour déshabiller une femme…

Ash éclata de rire. Il aimait l'honnêteté de Tabby. Elle exprimait tout ce qui lui passait par la tête, sans se soucier des conséquences, ni chercher à tout prix à lui plaire. Une qualité rare, dans son entourage.

— Merci pour le compliment.

— A votre tour, intima Tabby.

Etre exposée à sa vue la complexait terriblement. Ses seins étaient vraiment minuscules, et elle était loin d'afficher les courbes généreuses qui affolaient généralement les hommes. Pourtant, il la désirait. Le regard appréciateur qu'il promenait sur elle en était la preuve, non ?

Riant toujours, il retira sa chemise avec la désinvolture du mâle alpha sûr de ses atouts. Non sans raison… Le souffle de Tabby se bloqua à la vue du torse musclé et des abdos en tablettes de chocolat. Il avait vraiment un corps de rêve, s'extasia-t-elle, tout en admirant le charme ténébreux que lui conféraient sa barbe naissante et ses cheveux noirs en bataille. Un dieu grec, irradiant de force et de beauté, c'était l'image qu'il lui offrait. Ses chaussures et son jean ne tardèrent pas à suivre le même chemin que sa chemise.

Oh oui, il la désirait… L'impressionnante protubérance sous le boxer ne laissait aucun doute sur ce point. Comme il se débarrassait de cet ultime vêtement, elle détourna les yeux et dégrafa maladroitement son soutien-gorge, puis se glissa dans le lit pour ôter sa culotte.

— Je veux vous regarder, *koukla mou*, dit-il en tirant sur le drap.

— Il n'y a pas grand-chose à voir…

Elle se recroquevilla à la tête du lit, embarrassée par sa nudité.

Saisissant sa cheville, il l'attira gentiment à lui et contempla les petits seins haut perchés, les mamelons roses qui les couronnaient, le triangle de boucles dorées au creux des cuisses.

— Vous êtes magnifique, souffla-t-il.

— Pas vraiment…

— Chut ! Je ne veux rien entendre.

Une main dans ses cheveux, il lui renversa la tête en arrière et écrasa sa bouche sur la sienne.

Tabby se noyait dans un océan de volupté. Seigneur ! Cet homme savait embrasser ! Sa langue sondait sa bouche avec une ardeur fiévreuse qui mettait sa raison en péril. De sa main libre, il taquinait un mamelon dressé, qu'il aspira bientôt entre ses lèvres. Une onde de chaleur fusa dans son ventre.

Il l'allongea sur le matelas, son attention partagée entre ses deux seins dont il suçait langoureusement les pointes. Sa langue allait et venait sans relâche, la rendant folle de désir. Elle s'arqua pour s'offrir davantage, tremblant de tous ses membres à mesure que le désir montait en elle, chaque seconde devenant plus insoutenable que la précédente.

— Vous êtes si sensible…, murmura Ash avec satisfaction.

Ses yeux erraient sur le corps de Tabby et il se délectait de cette vision enchanteresse. Il se mit à lui caresser les jambes, doucement, s'insinuant peu à peu entre ses cuisses. Ses hanches se soulevèrent à sa rencontre. Enhardi par cette supplique muette, il reprit sa bouche avec fougue, tout en plongeant un doigt dans sa moiteur brûlante.

Un cri de plaisir échappa à Tabby. Dieu, que c'était bon ! Soudain, toutes ses sensations se concentraient sur un point unique, d'une sensibilité qui frôlait le supplice. Dans son cou, Acheron traça un sillon de baisers torrides. Cela embrasa des terminaisons nerveuses dont elle ignorait jusqu'à présent l'existence… En quelques minutes, tous ses doutes s'étaient envolés. Elle n'était plus qu'un corps vibrant de désir, pressé de connaître l'assouvissement ultime.

— Si vous voulez que j'arrête, *koukla mou*, dites-le-moi, murmura Acheron.

— N'est-ce pas difficile pour vous ?

Elle glissa une main le long de son torse jusqu'à buter sur son imposante érection.

— Je ne suis plus un adolescent. Je suis capable de me contrôler.

Il ajusta sa position tandis qu'elle explorait sa virilité. Ses doigts découvraient une lance d'acier dans un fourreau de velours. Et cette taille ! En longueur comme en diamètre, il excédait tout ce qu'elle avait imaginé ! Etait-elle vraiment censée l'accueillir en elle ? Avec un frisson perceptible, il saisit sa main et la replaça sur son torse.

— Mon sang-froid a tout de même ses limites…

Ainsi, elle lui faisait cet effet ? Cette constatation l'enchanta. Elle se laissa aller sur l'oreiller et un gémissement lui échappa. Les doigts habiles d'Acheron avaient trouvé son clitoris, qu'ils stimulaient à présent à un rythme sensuel. Chaque seconde de cette exquise caresse la rapprochait un peu plus de l'abîme.

Soudain, elle le sentit se pencher entre ses cuisses, et sa langue prit le relais. Un tourbillon de sensations l'assaillit d'un coup. Oh ! bien sûr, elle connaissait cette pratique osée, mais jamais elle n'aurait cru être un jour aussi intime avec un homme… Le plaisir inouï qui l'inondait balaya cependant ses craintes. Elle gémit, se tortilla, le corps agité de soubresauts, jusqu'au moment où elle sombra, sans forces, dans une extase merveilleuse.

Peu après, Acheron vint sur elle, les traits figés par le désir. L'extrémité de son érection se pressa contre sa féminité, puis s'immisça en elle, étirant ses muscles intimes jusqu'à lui arracher un cri de douleur.

Il s'immobilisa aussitôt.

— Voulez-vous que j'arrête ? demanda-t-il.

— Non…

Il n'était plus temps de reculer, ni pour lui ni pour elle. Elle le sentait palpiter en elle, une sensation étrange qu'elle apprivoisait peu à peu. Déjà, la douleur de son intrusion s'estompait, ne laissant place qu'au plaisir. D'instinct, elle noua les bras autour de lui et l'invita à continuer.

— Vous êtes si étroite… Cela m'excite terriblement, chuchota-t-il d'une voix rauque.

D'un mouvement souple des hanches, il s'enfonça plus profondément en elle, puis se retira et recommença plus vite, plus fort, lui faisant éprouver chaque étape de sa pénétration. Le choc bouleversa Tabby, prise dans un feu d'artifice de sensations électrisantes. La tension dans ses muscles se mua en une excitation sauvage, incontrôlable. Son cœur battait à tout rompre et elle s'accrocha à Acheron tandis qu'il accélérait la cadence, comme à une bouée de sauvetage dans la déferlante de passion qui l'emportait.

Soudain, son corps s'arqua dans une formidable explosion de jouissance. Un râle résonna à ses oreilles, un râle d'abandon, alors même que le plaisir se répercutait dans son être en vagues infinies.

Comme dans un brouillard, elle vit Acheron se lever et jeter quelque chose dans la corbeille, puis disparaître dans la salle de bains, d'où lui parvint bientôt le bruit de la douche. Avec un soupir, elle s'abandonna entre les draps froissés. Leurs ébats à peine terminés, il s'était écarté d'elle, évitant tout contact physique. Comme elle aurait aimé qu'il la serre dans ses bras ! Qu'il honore leur intimité d'un peu de tendresse ! Elle se sentait blessée, rejetée… et cela la perturbait. Amour et engagement n'avaient jamais été au programme. Pas plus du côté d'Acheron que du sien. Elle n'était pas naïve à ce point.

Alors pourquoi avait-elle couché avec lui ?

Parce que, pour la première fois, elle avait ressenti le désir de vivre cette expérience avec un homme. Mais le départ d'Acheron lui laissait un arrière-goût de dépit et d'humiliation. C'était ridicule, bien sûr ; en aucun cas il n'avait profité d'elle. C'était plutôt elle qui avait profité de lui, l'amant expérimenté à même de lui faire éprouver du plaisir dès sa première fois. Pour autant, cela n'excusait pas son attitude cavalière après l'amour.

Elle se leva, se rhabilla prestement et réarrangea ses cheveux avant d'entrer dans la salle de bains, juste au moment où Acheron sortait de la douche, une serviette autour des hanches.

— A + pour le sexe, F- pour la prévenance, dit-elle avec mépris, luttant contre l'effet magnétique de sa présence.

Acheron Dimitrakos était peut-être l'homme le plus sexy de la planète, mais sa beauté n'effaçait pas la façon déplorable dont il la traitait.

7.

Ash était éberlué par cette attaque inattendue. De quoi diable parlait-elle ? Et pourquoi fallait-il qu'elle soit si ravissante avec ses joues rosies, ses cheveux en désordre et ses lèvres gonflées par leurs baisers ? Impossible de rester de marbre devant un tel spectacle…

— Où voulez-vous en venir ?

— Vous m'avez laissée tomber sitôt après avoir obtenu ce que vous vouliez ! tempêta-t-elle. Aucune chance que je répète l'expérience. J'ai l'impression d'être une prostituée !

— C'est ridicule ! objecta Ash tout en combattant le désir qui l'aiguillonnait. Inutile de tomber dans le mélodrame…

— Vous n'avez même pas daigné me tenir dans vos bras trente secondes ! Si le sexe est tout le contact physique dont vous êtes capable, je vous plains…

Ash lâcha un juron en grec.

— Vous croyez me connaître ? Je vous avais prévenue que je ne faisais pas de *câlins*…

— Ce n'est pas une excuse ! s'emporta Tabby, ses yeux violets assombris par la colère. Je méritais mieux qu'un égoïste insensible comme vous !

— Feindre l'affection parce que c'est la chose correcte à faire n'est pas mon genre, répliqua Ash. J'ai si peu de pratique que je me sentirais idiot et mal à l'aise…

Cet aveu spontané désarçonna Tabby. C'était la première fois qu'il se montrait vraiment sincère avec elle. Sans réfléchir, elle couvrit la distance qui les séparait et noua les bras autour de son cou.

— Entraînez-vous sur moi, l'encouragea-t-elle avec douceur. Moi non plus, je n'étais pas très tactile avant de serrer Amber dans mes bras…

Ash n'en revenait pas. Elle lui proposait un câlin platonique ? Alors que son érection menaçait de trouer sa serviette ? Ce n'était pas la serrer dans ses bras qu'il voulait, mais la posséder sauvagement jusqu'à ce qu'elle tombe d'épuisement ! Une option qui n'était manifestement pas d'actualité… A contrecœur, il l'enlaça étroitement.

— Pourquoi vous êtes-vous rhabillée ? la réprimanda-t-il.

— Je croyais que nous avions terminé, dit-elle avec une franchise désarmante.

Il saisit le bas de sa robe et la lui retira.

Déconcertée, Tabby couvrit hâtivement ses seins nus.

— Que faites-vous ?

Pour toute réponse, Acheron glissa un doigt sous l'élastique de sa petite culotte, qu'il fit tomber sur ses chevilles.

— Je suis parti, c'est vrai, mais je ne vous ai pas laissée tomber…

Avec précaution, il la souleva dans ses bras et la déposa dans la baignoire remplie d'eau chaude parfumée.

— Vous m'avez fait couler un bain ? s'exclama Tabby, stupéfaite.

— Je vous ai fait mal. J'ai pensé que vous seriez endolorie.

Il alluma les bougies disposées sur le bord de la baignoire et alla éteindre la lumière.

— Ce n'est pas votre faute si j'ai eu mal, murmura-t-elle.

Elle s'enfonça dans l'eau chaude, agréablement délassante. C'est vrai qu'elle était endolorie. Ses muscles intimes l'élançaient après l'intense effort auquel ils avaient été soumis. Quelle paire ils formaient, tous les deux ! Lui, incapable de gestes d'affection ordinaires, et elle, nulle en sexe…

Le bruit d'un bouchon que l'on fait sauter la tira de sa

rêverie. Acheron avait ouvert une bouteille de champagne et en remplissait deux flûtes.

— D'où sortez-vous cela ? Et les bougies ?

— C'est notre nuit de noces, répondit-il. Mes domestiques ont cru bon de faire quelques préparatifs. Autant y faire honneur, vous ne croyez pas ?

Il lui tendit une flûte pleine, qu'elle déclina.

— Non, merci. Je ne bois pas.

— Un verre ne vous fera rien, insista-t-il en glissant d'autorité la flûte dans sa main. A moins que vous n'ayez un problème avec l'alcool ?

Les doigts de Tabby se crispèrent sur le verre.

— Non. Mais mes parents étaient alcooliques…

— Ce n'est pas une raison pour ne pas boire une goutte.

— Je joue toujours la carte de la prudence, dit-elle avant de boire une petite gorgée de champagne.

— Pour ma part, je préfère le risque et le frisson qu'il me procure.

— Oui, j'avais remarqué.

L'expression d'Acheron se rembrunit.

— Tabby, si je ne suis pas resté au lit avec vous, c'était pour éviter que vous vous fassiez de fausses idées sur notre relation.

Le cœur de Tabby se serra. Le message était clair, même si elle aurait préféré se tromper : leur relation était purement sexuelle.

— Je suis peut-être inexpérimentée, mais je ne suis pas idiote, répliqua-t-elle, piquée dans son orgueil.

— Ce n'est pas ce que je voulais dire, se défendit Acheron. Je n'ai pas l'habitude de ce genre de conversation. C'est la première fois que je rencontre une femme comme vous.

— Vierge, vous voulez dire ?

— Mes partenaires habituelles connaissent les règles…

— Moi aussi. Je suis quelqu'un de très pragmatique, vous savez.

Ash l'observa attentivement, de ses traits crispés à la

façon dont elle étreignait ses genoux. L'idée qu'il puisse la blesser le rendait malade. Aucune femme ne lui avait jamais fait cet effet-là…

Mais, après tout, ils étaient adultes. Comme lui, elle avait fait un choix. A elle de l'assumer.

Elle se redressa brusquement dans la baignoire.

— Mon Dieu ! Le Babyphone est resté dans ma chambre ! Je dois y aller !

— Mélinda se charge de veiller sur Amber. Détendez-vous, l'exhorta Acheron.

— Mélinda n'est pas censée travailler vingt-quatre heures sur vingt-quatre. Je lui ai promis que je prendrais le relais la nuit. Passez-moi une serviette…

— Pas question, la coupa-t-il en lui appuyant sur les épaules pour l'obliger à rester dans l'eau. Profitez de votre bain. Je m'occupe d'Amber.

— *Vous ?* fit-elle, incrédule.

— Pourquoi pas ?

Il disparut un instant dans la chambre et en revint avec son jean, qu'il enfila après s'être débarrassé de sa serviette le plus naturellement du monde.

— Vous m'avez appris ce qu'il faut faire quand elle pleure, non ?

— C'est *mon* travail, pas le vôtre.

— Notre arrangement stipule que nous nous aidions mutuellement. J'ai besoin d'une épouse et vous, d'une figure paternelle pour Amber, lui rappela-t-il avant de quitter la salle de bains.

Restée seule, Tabby se laissa aller dans son bain tout en sirotant son champagne. Le comportement d'Acheron la confondait. Etait-ce le sexe qui l'avait mis de bonne humeur ? Le fonctionnement d'un homme était-il aussi basique ? D'abord, il lui faisait couler un bain. Puis il se proposait d'aller voir Amber, à qui il n'accordait habituellement aucune attention. D'un autre côté, il n'avait pas non plus hésité à l'humilier en lui rappelant qu'elle n'était qu'une conquête parmi d'autres…

Comme si elle ne le savait pas déjà !

Acheron Dimitrakos était le don Juan par excellence, allergique à toute forme d'engagement. Et pourquoi s'engagerait-il ? Jeune, milliardaire, sexy, il avait toutes les femmes à ses pieds et nulle obligation de se restreindre à une seule. Par ailleurs, son enfance difficile avait laissé de profondes séquelles en lui. Un frisson parcourut Tabby au souvenir de son propre passé. Comme elle, il avait décidé que le meilleur moyen de ne pas être blessé était de ne s'attacher à personne.

Elle, malgré tout, avait su dépasser cette attitude de repli. A travers son amitié avec Sonia et son attachement à Amber, elle avait découvert qu'une vie fondée sur l'amour et la loyauté valait mille fois plus la peine d'être vécue. Certes, elle avait perdu son travail et son appartement en choisissant de veiller elle-même sur son amie et son bébé, mais à aucun moment elle n'avait regretté sa décision.

Amber n'avait plus qu'elle au monde, désormais. Elle était *sa* responsabilité, à elle et elle seule.

Alors que faisait-elle à se prélasser dans cette baignoire en buvant du champagne, alors que l'enfant qu'elle aimait plus que tout avait peut-être besoin d'elle ? Ni une, ni deux, elle sortit du bain, se sécha rapidement, puis remit sa robe. Il était grand temps de redescendre sur terre. Elle avait mieux à faire que jouer les divas dans l'opulente salle de bains d'Acheron !

Ash fit la grimace en entendant les pleurs s'échappant du Babyphone. Comme il approchait de la coiffeuse où était posé le récepteur, quelque chose sur le miroir attira son attention. Une inscription au feutre rouge.

« Partez d'ici ! »

Son sang ne fit qu'un tour. Sans hésiter, il se rua dans la

salle de bains, d'où il rapporta une serviette humide avec laquelle il effaça le message de menace. Une chance qu'il l'ait découvert avant Tabby ! Seuls ses employés avaient accès à la chambre et, de toute évidence, l'un d'eux ne méritait pas sa confiance, raisonna-t-il avec fureur. A quoi rimait ce message ? Tabby était sa femme, elle avait tous les droits d'occuper la villa. Qui pouvait lui en vouloir ? La réponse s'imposa aussitôt : Kasma.

Une rage aveugle le submergea. Sortant son portable, il contacta Dmitri, le chef de la sécurité, qu'il chargea d'élucider l'affaire au plus vite.

Il était d'une humeur massacrante lorsqu'il entra dans la nursery. Amber, assise dans son lit, hurlait à pleins poumons.

Ce n'est qu'un bébé. Tu peux t'en sortir seul.

Il avança d'un pas vers le lit.

— Là, là, tout va bien, dit-il d'un ton qui se voulait apaisant.

La fillette tendit les bras vers lui.

— Est-ce vraiment nécessaire ? Je suis là. Tu es en sécurité. Rien de mal ne peut t'arriver.

Amber continuait à le fixer de ses grands yeux chocolat, les joues ruisselantes de larmes, ses petits bras obstinément levés. Avec un soupir, il s'approcha.

— Je te préviens, je ne suis pas doué pour les câlins.

A peine l'avait-il soulevée dans ses bras qu'elle s'accrocha à lui avec une vigueur étonnante. Il entreprit de lui caresser le dos pour la réconforter. Soudain, un souvenir lui revint à la mémoire — le visage d'une femme penchée au-dessus de lui. Quel âge avait-il alors ? Il l'ignorait. Sans doute était-il très jeune. Elle était venue le consoler en pleine nuit et l'avait bercé en chantant des comptines jusqu'à ce qu'il cesse de pleurer. S'agissait-il d'Olympia, la grand-mère d'Amber autrefois au service de sa mère ? Qui d'autre ? Elle seule s'était souciée du petit garçon que tous les autres voyaient comme le point noir de leur travail grassement payé.

— Merci, souffla-t-il à la fillette.

Il la berça doucement contre lui.

— Mais, même pour toi, je ne chanterai pas.

Amber se fendit d'un large sourire qui dévoilait ses premières dents. Il se surprit à lui sourire en retour.

C'est ainsi que Tabby les trouva lorsqu'elle entra dans la pièce : Acheron penché sur la fillette, un sourire attendri aux lèvres. Le souffle lui manqua. Torse nu, son jean bas sur les hanches, il était à se damner ! Et le sourire qui adoucissait ses traits le rendait plus humain.

— Donnez-la-moi. Je vais la recoucher, murmura-t-elle.

— Tout s'est bien passé, dit-il, une pointe de fierté dans la voix. J'imagine qu'elle est toujours aussi sociable ?

— Pas du tout. Elle peut se montrer très grognon avec certaines personnes.

Après avoir changé la couche de la fillette, elle la remit au lit.

— Fais de beaux rêves, ma puce, chuchota-t-elle en lui caressant la joue.

— Quelqu'un se chargera de veiller sur elle la nuit, annonça Acheron lorsqu'elle l'eut rejoint dans le couloir.

— Inutile.

— Allons, Tabby, vous n'allez pas vous relever toutes les nuits…

— Je suis sa mère adoptive. C'est mon devoir d'être là pour elle à plein temps. Je refuse de laisser quelqu'un d'autre me remplacer.

— Soyez raisonnable.

Devant les portes menant à leurs chambres respectives, il s'immobilisa.

— Me rejoignez-vous au lit ?

Cette question la surprit. Son désir assouvi, quel intérêt pouvait-il encore lui trouver ? Le naturel avec lequel il lui proposait de passer le reste de la nuit avec lui la flattait et l'agaçait à la fois.

— Si je vous rejoins, des règles s'imposent, répondit-elle, la main sur la poignée de sa porte.

— Des règles ? répéta Acheron, les sourcils froncés. C'est une plaisanterie ?

— Je suis très sérieuse. Voulez-vous les entendre ?

— Je ne me plie à aucune règle, répliqua-t-il. Au cas où vous ne l'auriez pas remarqué, je ne suis plus un enfant.

Sans répondre, elle entra dans sa chambre et lui referma doucement la porte au nez.

Alors qu'elle venait de troquer sa robe contre une de ses nuisettes neuves, sa porte s'ouvrit. Vivement, elle se glissa entre les draps.

— Quelles règles ? grogna Acheron depuis le seuil de la chambre.

— *Primo*, notre relation doit être exclusive, commença Tabby. Je ne veux ni mensonges ni secrets. Si vous avez envie d'aller voir ailleurs, rompez avec moi.

— Je rêve…

— *Secundo*, vous me traitez avec respect, continua-t-elle, imperturbable. Si je fais quelque chose qui vous déplaît, nous en parlons. Mais pas devant Amber.

— Vous êtes complètement folle ! s'exclama Acheron. Dire que je vous ai épousée…

— *Tertio*, poursuivit Tabby d'une voix forte, les poings crispés sous le drap. Je ne suis pas un jouet que vous utilisez à votre guise pour tromper votre ennui. Comportez-vous avec décence et je ferai de même. Sinon, eh bien, je crains que cela ne fonctionne pas entre nous.

— *No pas sto dialo !* rétorqua Acheron d'un ton rageur. Allez au diable, et emportez vos précieuses règles avec vous !

Tabby ne reprit son souffle qu'une fois la porte refermée derrière lui. Il lui semblait qu'un poids immense lui écrasait la poitrine mais, au moins, elle avait gardé la face. Elle l'avait forcé à la considérer en égale. Qu'aurait-elle pu faire d'autre ? S'embarquer dans une aventure sans aucune limite n'était pas son genre — surtout avec un play-boy comme Acheron. Aucune chance qu'il revienne à la charge, maintenant qu'il connaissait ses exigences…

Et quel genre d'idiote s'en attristerait ? se sermonna-t-elle. Il voulait une chose, elle en voulait une autre. Ce béguin lui passerait. Il le fallait.

Avant qu'elle ne soit blessée pour de bon.

Ash prit une douche froide pour apaiser sa rage autant que son érection persistante. Des règles ! Des fichues règles ! A qui croyait-elle avoir affaire ? Ou plutôt, à *quoi* ? S'imaginait-elle qu'en lui faisant l'amour il avait signé pour le conte de fées ? Pourquoi fallait-il que les femmes compliquent toujours tout ?

Cependant, sa fureur était surtout dirigée contre lui-même. Dès le début, il s'était mis en garde contre l'innocence de Tabby, flairant les complications à venir. Hélas ! son pressentiment n'avait pas fait le poids face au désir qu'elle lui inspirait. Il avait voulu savoir comment elle serait au lit, et la réponse était… fabuleuse ! A tel point qu'il brûlait de la posséder, encore et encore. Le souvenir persistant de son corps menu contre le sien n'aidait pas à calmer sa libido surchauffée…

Avec un juron, il tourna plus fort le robinet d'eau froide.

— Qui c'est, le plus beau bébé du monde ? gazouillait Tabby à la petite Amber, qui agitait sa cuiller avec un sourire radieux.

Ash réprima un grognement en prenant place à table, sur la terrasse. Babillage au petit déjeuner : encore une nouveauté apportée dans sa vie par Tabby et qui l'insupportait. Le matin, il aimait le sexe et le silence. Privé de l'un comme de l'autre, il était d'une humeur massacrante. La vue de Tabby en haut à bretelles et mini-short exposant sa peau nue n'arrangeait rien. Même le tatouage sur son bras ne parvenait pas à couper son désir.

Tout en s'occupant d'Amber, Tabby jetait des regards furtifs vers Acheron. Il n'aurait pas dû être permis d'être aussi désirable… La sensibilité entre ses cuisses, écho de leur union intime, la rendait d'autant plus réceptive à sa présence. Elle avait envie de plonger les doigts dans ses boucles noires, de caresser cette mâchoire comme sculptée dans le granit, jusqu'à y ramener le sourire aperçu la veille.

Elle n'était pas la seule à être distraite par Acheron. Le visage rayonnant, Amber avait délaissé sa cuiller pour tendre les bras vers lui.

— Pas maintenant, *koukla mou*. Finis ton petit déjeuner, d'abord.

Ainsi, il prêtait attention à Amber, mais l'ignorait, elle, constata Tabby. Cette attitude la vexa. La nuit dernière, elle n'était qu'un corps qu'il convoitait et apparemment, ce matin, elle était devenue invisible !

— Bonjour, Acheron, l'accueillit-elle froidement.

— *Kalimera, yineka mou*, répondit-il d'un ton mielleux. Avez-vous bien dormi ?

— Comme une pierre, mentit-elle.

Cet homme avait vraiment le don de faire ressortir les pires aspects de son caractère !

Une domestique vint leur servir du café qui sentait délicieusement bon. Dans un accès de panique, Tabby se rappela que Sonia, au début de sa grossesse, avait développé une sensibilité accrue à certaines odeurs.

— Hier soir…, commença-t-elle, les joues en feu.

Elle s'interrompit le temps que la domestique s'en aille.

— Vous avez utilisé un préservatif, n'est-ce pas ?

Une lueur amusée brilla dans les yeux d'Acheron, que cette question intime ne semblait pas embarrasser le moins du monde.

— Evidemment. Vous me croyez assez stupide pour oublier ce détail ?

— Eh bien, dans le feu d'action… Il vous arrive de prendre des risques, non ?

— Pas ce genre-là, dit-il en désignant Amber du menton. Mes pulsions ne me gouvernent pas.

Même chose pour moi, songea Tabby. Comme elle se penchait vers la fillette, ses seins tendirent son débardeur, et le frottement du tissu contre leurs pointes sensibles lui fit regretter de ne pas avoir mis de soutien-gorge. Surtout en présence d'Acheron.

De là où il se tenait, il avait une vue imprenable sur son décolleté. Il se remémora ses petits seins nus dressés vers lui, et le désir sauvage qui l'avait alors assailli…

Dans un silence chargé de tension, la nounou vint chercher Amber pour son bain.

Ash inspira profondément. Pour la paix de leur « ménage », il était urgent de mettre les choses au point avec Tabby.

— Cette nuit, vous m'avez expliqué vos règles, dit-il en ponctuant ses mots d'une mimique méprisante. Vous voulez entendre la mienne ? Eviter les femmes collantes qui s'accrochent à vous.

Cette critique inattendue fit à Tabby l'effet d'une douche glacée.

— Vous me traitez de femme collante ? s'exclama-t-elle, sous le choc.

— A votre avis ?

Furieuse, elle se leva d'un bond et frappa la table du poing.

— Comment osez-vous ? Je ne me suis jamais accrochée à un homme ! *Jamais !*

— Pourtant, votre premier réflexe a été de vouloir m'imposer vos règles. Vous avez besoin d'être rassurée par des promesses. Mais ni vous ni moi ne saurions prédire l'avenir…

— Je n'aime pas votre façon de procéder ! répliqua-t-elle avec véhémence.

— Que savez-vous de moi ? demanda posément Acheron. Je pratique toujours l'exclusivité et mets un terme clair à mes aventures. Vous m'accusez de mensonges et d'infidélités sur la seule idée que vous vous faites de moi.

Tabby s'empourpra. Il marquait un point, mais elle serait morte plutôt que de l'admettre.

— Quel beau parleur vous faites… Ne comptez pas sur moi pour croire un traître mot sortant de votre bouche !

— Tiens, tiens… Auriez-vous des préjugés à mon égard ? Dites-moi, qu'est-ce qui vous dérange le plus ? Mon éducation privilégiée, ma fortune, ou mon mode de vie ?

— Ce qui me dérange, c'est que vous croyez tout savoir mieux que tout le monde ! rétorqua-t-elle, tremblant d'indignation contenue.

— Vous et moi n'avons vraiment rien en commun, décréta-t-il. Pour notre bénéfice mutuel, je suggère que nous revenions à notre arrangement initial.

Un étau invisible comprima la poitrine de Tabby.

— En effet. Vous n'auriez jamais dû poser vos sales pattes sur moi.

Une lueur concupiscente dans ses prunelles sombres, il la déshabilla lentement du regard.

— Si seulement j'en avais eu la force…

Sur cet aveu, il se leva et tourna les talons.

Laissant son regard errer sur le magnifique paysage qu'offraient les collines toscanes, patchwork verdoyant d'oliveraies, de bois et de riches vignobles, elle prit une profonde inspiration.

Eh bien, elle avait obtenu ce qu'elle voulait. Il proposait de revenir à un accord platonique, et elle ne pouvait que s'en féliciter. Alors pourquoi avait-elle l'impression d'avoir perdu la bataille ? L'approche pragmatique d'Acheron, loin de lui apporter le soulagement qu'elle espérait, l'emplissait d'un ridicule sentiment d'abandon…

8.

Tabby renvoya sa balle à Amber qui était installée sur son tapis de jeu dans le jardin. La fillette se pencha pour l'attraper, puis s'en désintéressa, préférant se lancer dans l'exploration de la pelouse. Tabby n'en revenait pas de la vitesse à laquelle elle avait appris à ramper. A tout juste sept mois, elle se révélait une enfant précoce. Il est vrai qu'elle avait toujours été de constitution robuste et en avance dans son développement. Qu'elle ait découvert par elle-même comment progresser à quatre pattes n'était donc pas vraiment une surprise. Ni qu'elle cherche à attraper tout ce qui lui tombait sous la main…

— Non, Amber, la gronda-t-elle gentiment en reprenant le brin d'herbe qu'elle s'apprêtait à mettre dans sa bouche.

Mélinda les rejoignit et proposa de la remplacer auprès de la fillette.

— Volontiers, accepta Tabby avec gratitude. Garder un œil sur elle nécessite une attention constante. Je ne serais pas contre une pause pour lire au soleil.

— Pas de problème, dit la nounou. Je vais l'emmener faire une promenade en poussette. Cet endroit est si agréable !

Tabby culpabilisait un peu de ne pas l'apprécier. Après tout, Mélinda était une employée sérieuse, toujours amicale, et Amber l'adorait. Peut-être était-ce dû aux regards un peu trop appuyés qu'elle lançait à Acheron. Non que Tabby soit jalouse… Simplement, elle n'était pas très à l'aise face à une femme qui manifestait autant d'intérêt pour son employeur marié. Acheron, quant à lui, semblait totalement insensible aux courbes affolantes de la jolie blonde.

— Combien de temps resterons-nous ici ? s'enquit Mélinda en installant Amber dans sa poussette.

— Je l'ignore. Mon mari n'a encore rien décidé, répondit Tabby.

Cette dénomination possessive la surprit elle-même. Pourtant, c'était le moyen le plus simple de désigner Acheron devant le personnel.

La nounou partie, elle récupéra son livre et ses lunettes de soleil et se dirigea vers la terrasse. En fait de mari, Acheron ressemblait davantage à un lion en cage. Cela faisait une semaine qu'il passait ses journées et une partie de ses nuits enfermé dans son bureau. Les rares fois où il en sortait, la sonnerie de son portable le replongeait vite dans ses affaires.

Il se joignait parfois à elle pour le petit déjeuner et faisait acte de présence au dîner, mangeant vite et en silence, avant de prendre poliment congé. Il se montrait froid, distant. Toute tension sexuelle entre eux avait disparu, comme si la passion de leur nuit de noces n'avait existé que dans son imagination. Pourtant, elle peinait à le traiter en étranger, et cette faiblesse mettait à mal sa fierté de femme forte et indépendante. Quelle femme de caractère aurait continué à briguer l'attention d'un homme qui la confondait avec le papier peint ?

Le plus rageant était son attitude radicalement opposée vis-à-vis d'Amber. A en croire Mélinda, il ne passait jamais devant la nursery sans s'arrêter un moment. A chacune de ses apparitions, la petite fille abandonnait tout et se précipitait vers lui à quatre pattes. Cette attention flattait-elle son ego ? S'était-il découvert une affinité tardive avec les enfants, au point de rechercher la compagnie de l'un d'eux ? Comment savoir ce qui se passait dans la tête d'Acheron ? Après une semaine de nuits blanches, Tabby en était venue à la conclusion qu'elle ne savait rien de lui. Son mari restait une énigme.

Acheron s'approcha de la fenêtre de son bureau. Son regard fut immédiatement attiré par Tabby, allongée sur une chaise longue, ses petits seins ronds et ses hanches graciles moulés dans un Bikini violet. Un brusque désir l'envahit — ce désir qui rendait ses nuits aussi frustrantes qu'interminables.

En mari protecteur, il avait gardé un œil sur elle, soulagé de ne pas la voir enlever le haut pour éviter les marques de bronzage. Il redoutait que les domestiques ne la surprennent, et avait conscience que c'était ridiculement vieux jeu. Pourtant, il devait se rendre à l'évidence : l'idée que quelqu'un d'autre que lui voie Tabby à demi nue lui déplaisait. Cette possessivité ne lui ressemblait pas. Etait-ce parce qu'il avait été le premier amant de sa femme ?

Sa femme…

Jamais il n'aurait cru employer ces mots un jour, même en pensée. Bien sûr, Tabby ne l'était pas vraiment. Sans cela, les heures chaudes de l'après-midi l'auraient trouvée nue dans son lit, prête à satisfaire les exigences de sa passion, à se perdre dans la jouissance qu'il ne demandait qu'à lui donner…

Hélas ! elle était plus inflexible qu'un roc. Il n'y avait aucune demi-mesure, avec elle. C'était tout ou rien. *Ses* règles… ou les douches froides. Et ce qu'elle exigeait était au-dessus de ses forces. Il était incapable de changer à ce point pour une relation qu'il savait sans avenir. Ce serait injuste envers elle.

Pourtant, en cet instant, les règles de Tabby n'étaient pas sans un certain attrait…

*
* *

Tabby sélectionna dans son dressing une magnifique robe bleue. Depuis son arrivée, elle avait passé chaque jour une tenue différente. Après tout, les vêtements étant là, autant en profiter. Pourquoi se serait-elle imposé de transpirer dans les jeans et hauts épais qui constituaient sa maigre garde-robe ? Car, après avoir perdu son appartement, elle avait dû vendre la plupart de ses possessions, y compris ses plus jolis vêtements.

La robe passée, elle brossa ses cheveux et appliqua une touche de maquillage. Ce n'était pas pour Acheron qu'elle se faisait belle : il la traitait comme si elle était invisible ! C'était pour elle. Pour restaurer son estime de soi et, accessoirement, coller à l'image de la riche épouse qu'elle était censée être.

Restait la touche finale, les chaussures. Chancelant sur ses talons aiguilles, elle s'approcha du miroir. Son reflet la laissa sans voix. Pas mal du tout ! Dommage qu'elle ne soit pas plus grande. Ou plus sensuelle, tout en courbes voluptueuses… comme Kasma.

Kasma, qu'Acheron refusait obstinément d'évoquer.

Et alors ? se tança-t-elle. Elle n'avait que faire de l'impétueuse brune. La fureur dans laquelle l'avaient mise ses révélations s'était dissipée depuis longtemps. N'avait-elle pas épousé Acheron uniquement dans le but d'adopter Amber ? Espérer plus serait une source de stress aussi stupide qu'inutile.

Acheron était en train de monter l'escalier au moment où elle s'apprêtait à le descendre. Même en simple jean et chemise, il était époustouflant ! songea-t-elle, fascinée. D'instinct, elle se redressa et leva le menton. Elle avança mais, au lieu du marbre dur, son pied ne rencontra que le vide, et elle bascula en avant. Elle tenta vainement de se rattraper, et poussa un cri de douleur lorsque sa hanche se cogna contre une marche.

— Je vous tiens ! fit Acheron, et le monde autour d'elle se stabilisa.

Dieu merci, le pire avait été évité !

Reconnaissante, elle voulut se relever, mais une vive douleur irradia de sa hanche à sa cheville. Aussitôt, Acheron la souleva dans ses bras, si prestement que le balancement de ses jambes lui arracha une plainte.

— Ma cheville…

— *Thee mou*, vous auriez pu vous tuer ! s'exclama-t-il, d'une voix où perçait l'angoisse.

L'enserrant de ses bras puissants, il descendit l'escalier et cria en grec jusqu'à ce qu'apparaisse l'un de ses gardes du corps.

La tête contre son torse, Tabby sentait les pulsations de son cœur, qui battait la chamade sous l'effet de l'adrénaline. Soudain, elle prit conscience de ce à quoi elle avait échappé. Sans les réflexes stupéfiants d'Acheron, elle aurait dévalé l'escalier et se serait peut-être brisé le cou ! Un immense soulagement l'envahit.

— Je vais bien, merci. Grâce à vous…

Il la déposa sur un sofa avec infiniment de précautions et s'accroupit à côté d'elle.

— Avez-vous été poussée ? demanda-t-il, ses yeux de jais rivés aux siens.

Cette question la déconcerta.

— Quelle idée ! Non, j'ai trébuché, c'est tout.

— En êtes-vous sûre ? J'ai cru apercevoir quelqu'un sur le palier juste avant votre chute…

— Il n'y avait personne, assura-t-elle avec un embarras croissant.

Elle savait très bien pourquoi elle était tombée. Si elle n'avait pas été si occupée à prendre la pose en le dévorant des yeux, elle n'aurait pas manqué la marche. Mais plutôt mourir qu'avouer sa sottise.

— Il est impératif que vous voyiez un médecin. Je vais essayer de ne pas vous faire mal, dit-il en la soulevant de nouveau.

— Je n'ai pas besoin de médecin ! protesta Tabby, au comble de la gêne.

Autant parler à un mur. Elle passa les deux heures suivantes à subir toutes sortes d'examens à l'hôpital le plus proche. Acheron arpentait le couloir devant son box et passait régulièrement la tête par le rideau pour s'enquérir de son état, allant jusqu'à exiger une radio malgré l'assurance du médecin qu'il ne s'agissait que d'une cheville foulée et de quelques contusions. Où était passé l'Acheron impassible qu'elle connaissait ? se demanda Tabby. Quelque chose le tourmentait, c'était évident, mais quoi ? Le plus embarrassant était l'équipe de sécurité déployée autour d'eux, comme s'ils risquaient à tout instant une attaque terroriste.

— Ah ! l'amour…, gloussa le vieux médecin avec un sourire complice.

S'il savait ! pensa Tabby. L'attitude d'Acheron, cependant, la laissait perplexe. Pourquoi faire un tel foin pour une simple cheville foulée ?

Décidément, ses motivations restaient un mystère.

Si quelque chose était arrivé à Tabby…

Cette pensée emplissait Ash de colère et de culpabilité. C'était la première fois qu'il éprouvait des émotions aussi violentes. Peut-être parce qu'il n'avait jamais été responsable de la vie de quelqu'un d'autre avant… Car sa femme était *sa* responsabilité, mariage réel ou non. Elle aurait pu mourir ce soir, et c'était entièrement sa faute !

L'idée qu'un membre de son personnel ait pu chercher à nuire à Tabby l'atterrait, mais après le message découvert sur le miroir le doute n'était plus permis. Peu importait qu'elle ait cru à un accident. Tout s'était déroulé si vite qu'elle n'avait sans doute pas senti qu'on la poussait.

Le plus frustrant était que l'équipe de sécurité n'avait trouvé aucune piste. L'enquête sur les employés de la villa n'avait en effet rien donné. Suite aux rénovations effectuées l'année précédente, un nouveau personnel avait été engagé, et seul le temps confirmerait sa fiabilité. Or, la sécurité de Tabby passait avant tout. Pour ne pas l'effrayer avec ses soupçons, il décida que la meilleure tactique était de quitter immédiatement les lieux au profit d'un endroit plus sûr.

Il transmit ses ordres à Dmitri. Son plan impliquait de réveiller Amber en pleine nuit, mais tant pis. La villa toscane était comme souillée, désormais, et il avait hâte d'en éloigner Tabby et le bébé.

— Désolée pour le dérangement, dit Tabby au moment où la limousine quittait l'hôpital.

— Vous avez eu un accident. Inutile de vous excuser, répondit Acheron. Comment vous sentez-vous ?

— Encore endolorie, mais je serai vite sur pied. Cela m'apprendra à faire plus attention dans les escaliers…

Le pâle sourire qu'elle lui adressa lui serra le cœur. Une autre femme en aurait profité pour jouer les divas et réclamer son attention. Tabby, elle, minimisait l'incident sans rien attendre de lui, ce qui accrut encore son sentiment de culpabilité.

Elle ouvrit tout à coup des yeux ronds.

— Je rêve ou c'est l'aéroport ? Où allons-nous ?

— En Sardaigne, annonça Acheron en la déposant dans le fauteuil roulant qui l'attendait sur le parking.

— En Sardaigne ? Vous voulez dire, *maintenant* ? Il est 10 heures du soir !

— Amber et Mélinda sont déjà dans l'hélicoptère.

Tabby ouvrit la bouche, puis se ravisa. Cette semaine aux côtés d'Acheron lui avait appris à réfléchir à deux fois avant d'exprimer son opinion. Sans doute s'ennuyait-il à la villa et avait-il décidé sur un coup de tête de changer de décor. Non seulement il tirait Amber du lit, mais il l'obligeait, elle, à voyager alors que sa hanche et sa cheville la faisaient atrocement souffrir. Typique de sa part ! pesta-t-elle en son for intérieur. Ses caprices primaient sur tout.

Comme elle n'avait rien avalé depuis le déjeuner, elle mourait de faim, et le vacarme de l'hélicoptère lui vrillait les tympans. Elle insista néanmoins pour prendre Amber dans ses bras. A sa grande surprise, Acheron intercepta la fillette qu'il installa sur ses genoux. Apparemment satisfaite de cet arrangement, Amber se mit à sucer son pouce et ferma les yeux. Très vite, la fatigue eut raison de Tabby, qui sombra à son tour dans le sommeil.

Elle se réveilla dans les bras d'Acheron et cligna des yeux, éblouie par la lumière, au moment où il passait le seuil de la nouvelle villa.

— Comment vous sentez-vous ? s'enquit-il, l'air anxieux.

Une douleur lancinante pulsait dans sa cheville.

— Bien…

— Inutile de jouer les héroïnes. Vous avez une mine épouvantable. Je vais vous faire servir une collation et ensuite, repos.

Un repas et un lit étaient tout ce à quoi Tabby aspirait. Elle se laissa aller contre le torse d'Acheron tandis qu'il montait l'escalier, et ne rouvrit les yeux qu'au moment où il l'allongeait sur un large lit. Avec précaution, il tira le drap sous elle pour le lui remonter sur le menton.

— Pourquoi êtes-vous tout à coup si gentil ? demanda-t-elle.

Ash tressaillit. Cette question en disait long sur ce qu'elle pensait de lui… Il n'y avait qu'elle pour exprimer tout haut ce que personne n'osait lui dire.

— Vous êtes blessée, répondit-il.

— Vous ne voulez pas de mes règles ? Eh bien, je ne veux pas de votre pitié.

— Vous êtes ma femme.

— Pas vraiment.

— Assez pour que j'aie envie de vous traiter comme telle, la coupa-t-il, agacé.

Tabby le considéra avec stupeur. Seigneur ! Ce qu'elle

avait envie de le gifler ! Un mode d'emploi n'aurait pas été superflu pour comprendre cet homme aussi complexe qu'exaspérant. Une fois de plus, elle nageait en pleine confusion…

— Je veux être là pour vous, reprit-il en guise d'explication.

— Je me passerai de votre pitié, merci.

— Je me suis mal comporté, ces derniers temps. J'aimerais me faire pardonner.

— Vous ne m'avez pas entendue ? Gardez votre pitié pour vous, répéta Tabby, imperméable à ses arguments.

Acheron s'accroupit à côté du lit. Elle n'eut que le temps d'apercevoir l'étincelle dans ses yeux avant que sa bouche ne capture la sienne. Le désir sauvage que lui insuffla son baiser la cloua sur place.

— Vous pensez toujours qu'il s'agit de pitié ? murmura-t-il d'une voix rauque.

Surprise et bouleversée, elle ne répondit pas. Elle n'avait qu'une envie : qu'il l'embrasse de nouveau, et plus longuement. Impossible de rester sourde à la tentation de ce corps viril, si proche pour la première fois depuis une semaine. Un seul baiser d'Acheron, et elle se faisait l'impression d'être une accro au sexe ! Par chance, l'arrivée d'une domestique avec son plateau repas interrompit leur tête-à-tête.

— Il faut que vous mangiez, décréta Acheron.

Avec son aide, elle s'adossa aux oreillers. Elle n'osait même plus le regarder, de peur de raviver l'ardent besoin sexuel qu'il suscitait en elle. Sa tension était telle qu'elle lui coupait l'appétit. Elle se força néanmoins à manger, pendant qu'Acheron faisait les cent pas dans la chambre. Malgré ses efforts, son regard allait sans cesse vers lui, comme attiré par une force magnétique. Etait-elle donc si faible qu'elle ne pouvait lui résister ? Faible face à cet homme qui l'avait mise dans son lit seulement pour l'ignorer les jours suivants…

Une honte cuisante la submergea, redoublant sa fatigue. Ses paupières se firent soudain si lourdes qu'elle peinait à les tenir ouvertes.

— Dormez, dit Acheron en débarrassant le plateau.

Pour une fois, elle obéit sans protester.

Il faisait nuit noire lorsque Tabby fut réveillée par un besoin pressant. Désorientée, elle se redressa tant bien que mal, et une vive douleur lui vrilla aussitôt la cheville. Avec une grimace, elle chercha à tâtons l'interrupteur de la lampe de chevet. Dès que la lumière se fit, une silhouette se leva du sofa.

— Acheron ? s'exclama-t-elle, le cœur battant. Que faites-vous là ?

Son regard s'égara sur le torse musclé, le jean bas sur les hanches, la barbe de trois jours, avant d'être happé par deux prunelles sombres semblables à des diamants noirs.

— Je n'allais pas vous laisser, répondit-il.

— Pourquoi pas ? Il n'y a aucune raison pour que vous dormiez sur le sofa.

Tout en parlant, elle s'était tournée pour sortir sa jambe valide du lit.

— Qu'est-ce que vous faites ? la gronda Acheron.

En deux enjambées, il l'avait rejointe.

— J'ai besoin d'aller aux toilettes, marmonna-t-elle, rouge d'embarras.

— Vous êtes têtue, *koukla mou*. Vous avez besoin d'aide. C'est pour cela que je ne voulais pas vous laisser seule.

Il l'aida à se lever et l'enlaça d'autorité, l'obligeant à prendre appui sur lui.

— Doucement, vous allez vous faire mal…

Des larmes de douleur embuaient les yeux de Tabby, mais elle serra les dents et boitilla jusqu'à la salle de bains, où Acheron, avec mille précautions, la déposa sur le siège des toilettes.

— La douleur devrait s'atténuer d'ici à demain. Appelez-moi quand vous avez terminé.

Restée seule, Tabby s'examina dans le miroir. Son reflet l'épouvanta : cheveux hirsutes, cernes violets, yeux de panda dus à son maquillage de la veille… Comment Acheron faisait-il pour rester sexy au milieu de la nuit, alors qu'elle ressemblait à la fiancée de Frankenstein ?

Un autre détail la fit tressaillir : une nuisette légère avait remplacé sa robe bleue. Acheron avait dû la déshabiller pendant son sommeil. Et alors ? se dit-elle. Il l'avait déjà vue nue, non ? Quelle raison avait-elle de se sentir gênée ?

Son envie soulagée, elle se lava les mains et clopina péniblement jusqu'à la porte derrière laquelle Acheron l'attendait. Sans un mot, il la souleva dans ses bras et la déposa dans le lit.

— Je ne comprends toujours pas ce que vous faisiez sur ce sofa, persista-t-elle.

— Il n'y a que trois chambres, dans la villa. Amber en occupe une, et Mélinda une autre.

— Que trois chambres ? Vous n'aviez rien planifié, n'est-ce pas ?

— Il est 3 heures du matin. Nous en discuterons demain, répondit Acheron, les traits tendus.

Le voyant se diriger vers le sofa, elle soupira.

— Ne soyez pas ridicule. Ce lit a la taille d'un terrain de foot. Nous pouvons très bien le partager.

Acheron ne cacha pas sa surprise. Sans répondre, il éteignit la lumière. Au bruit de son jean tombant à terre, Tabby s'interdit formellement de l'imaginer nu. Puis le drap se souleva et le matelas s'enfonça à côté d'elle. Elle s'exhorta à se détendre. Acheron était un homme de raison, pas de passion. Elle était en sécurité avec lui.

Toute relation entre eux n'était-elle pas vouée à l'échec ?

L'aube pointait lorsque Tabby s'éveilla de nouveau. Au premier mouvement, sa cheville l'élança, mais sa douleur s'évanouit à la seconde où elle tourna la tête. Acheron était allongé à quelques centimètres d'elle, les paupières closes, sa bouche détendue et sensuelle. Ses boucles d'ébène contrastaient avec la blancheur immaculée de l'oreiller. Le drap avait glissé, dévoilant son torse athlétique et le galbe musclé d'une cuisse. Elle fut saisie par l'éclatante beauté de ce corps sculpté à la perfection. La tentation de le toucher était si forte ! Y résister frisait le supplice…

Au même instant, il ouvrit les yeux et s'étira paresseusement.

— *Kalimera, glyca yineka mou.*

Tabby arqua un sourcil.

— Ce qui veut dire ?

— Bonjour, ma douce épouse, traduisit Acheron d'un ton amusé.

— Je ne suis pas votre épouse ! répliqua-t-elle.

Il glissa une main dans ses cheveux, son regard de braise chevillé au sien.

— Non ? Pourtant, vous m'avez épousé et vous m'avez offert votre corps. D'un point de vue légal, nous avons consommé notre union…

De dépit, elle serra les dents.

— Je… Ce n'est pas…

Ses objections moururent sur les lèvres d'Acheron, qui s'emparèrent des siennes avec fièvre. Une réaction chimique s'opéra en elle, une explosion de désir d'une violence inouïe. Toutes ses résolutions en furent réduites à néant. Elle rendit les armes, impuissante, et s'abandonna à l'offensive sensuelle de sa langue.

— Acheron ? souffla-t-elle lorsqu'il libéra sa bouche.

Ses yeux étaient deux flèches incandescentes qui la transpercèrent de part en part.

— Au diable vos règles ! Je n'obéis qu'aux miennes.

Son ton autoritaire, plus encore que ses mots, lui donna le vertige. Déjà, ses mains se faufilaient sous elle et la faisaient rouler sur le côté.

— Que faites-vous ? protesta-t-elle faiblement.

— J'exauce votre désir et le mien, lui murmura-t-il à l'oreille.

Son souffle sur sa peau la chavira. Ses lèvres imprimaient des baisers de feu dans son cou, tandis que ses mains remontaient lentement de sa taille vers sa poitrine.

— Vous n'êtes pas en état de fuir. Criez, si vous souhaitez que j'arrête…

Tabby ne savait plus que penser. Ses yeux tombèrent sur le sofa qu'Acheron avait occupé durant la nuit. Elle l'avait elle-même invité dans son lit. S'imaginait-il que son corps était inclus dans l'offre ? Ou était-il, comme elle, prisonnier de l'alchimie qui les liait ? La seconde hypothèse, bien sûr, lui plaisait davantage. Soudain, les doigts d'Acheron trouvèrent ses mamelons, et son esprit se vida de toute pensée cohérente.

Ash dévorait Tabby de baisers, savourant sa gorge délicate. L'odeur de sa peau l'enivrait à le rendre fou. N'y tenant plus, il pressa son érection contre ses fesses rondes et fermes. Elle gémit à cette initiative et se mit à onduler contre lui. Alors il souleva sa nuisette pour caresser sa poitrine, dont les tétons durcirent aussitôt sous ses doigts.

— J'aime vos seins, *moli mou*. On les dirait faits pour mes mains…

Tabby frémit, subjuguée par la vision érotique des doigts hâlés d'Ash sur sa peau blanche. Le besoin de le sentir en elle la consumait de l'intérieur. D'instinct, elle se cambra et geignit de douleur au mouvement involontaire de sa cheville.

— Ne bougez pas, souffla-t-il. Laissez-moi faire.

Tabby n'en pouvait plus de désir. Elle avait envie de crier, de lui dire ce qu'elle voulait, *maintenant* ! La sauvagerie de sa réaction l'ébranla. Jamais elle n'aurait cru qu'un simple baiser et une caresse légère pouvaient ainsi porter sa température à ébullition. Pas étonnant qu'Acheron soit devenu son premier amant ! Il l'embrasait comme un feu de paille, et toutes ses défenses s'envolaient en fumée.

Ses doigts exploraient ses cuisses, à présent, flirtaient avec son intimité sans jamais aller au bout de leur promesse. Oh ! il la rendait folle ! Elle défaillait, grisée par cette exquise torture. C'était un jeu. Il jouait avec elle, prolongeait le plaisir à l'infini, tout en parsemant son cou de baisers.

— Je vais vous tuer, dit-elle, la respiration haletante.

— Je crois plutôt que vous allez me supplier de recommencer.

— On ne peut pas dire que vous souffriez d'un complexe d'infériorité…

Une vague brûlante la submergea lorsqu'il frôla le bourgeon délicat de son clitoris.

— Pas sous la couette, répondit-il de sa voix de velours.

— Seriez-vous vénéré comme un dieu du sexe ?

— En effet, acquiesça-t-il avec cynisme. On ne dit pas à un homme riche qu'il ne vaut rien au lit, ce ne serait pas profitable.

— C'est horrible, murmura Tabby, consternée.

— Horrible, singea-t-il en la caressant à l'endroit le plus sensible de son corps.

Elle s'arqua violemment, secouée par une onde de plaisir fulgurante.

— Je ne veux pas de votre argent. Seulement votre corps, lâcha-t-elle sans réfléchir.

Un silence suivit.

Elle ferma les yeux, mortifiée. Seigneur ! Que lui avait-il pris de dire une chose pareille ?

— Je n'ai pas d'objection, souffla Acheron, les lèvres pressées sur son lobe d'oreille.

Il reprit ses caresses, et la honte de Tabby se dilua dans un océan de volupté. Elle se pressa contre lui, avide de sentir sa force et sa chaleur l'envelopper tout entière. Avec délicatesse, il effleura ses lèvres intimes, puis les écarta. Un frisson de plaisir la parcourut. Son envie de lui enflait, s'intensifiait, échappant à tout contrôle. Lorsqu'il remua les doigts en elle, la réalité s'estompa dans un brouillard de plaisir. Plus rien n'existait, ni ses doutes ni sa cheville douloureuse, seulement le désir de s'abandonner à sa possession.

— Je rêve de ce moment depuis des jours…

— Des jours ? répéta-t-elle, surprise.

— Chaque nuit depuis notre première fois, et chaque jour depuis que je vous ai vue dans ce minuscule Bikini.

D'une main ferme, il enroula sa jambe valide autour de sa taille et la pénétra avec un grognement d'intense satisfaction.

Tabby étouffa un cri comme son corps se prêtait pour l'accueillir dans une déferlante de pur plaisir.

— Ça va ? s'enquit Acheron.

— J'espère que vous avez éteint votre téléphone…, haleta-t-elle, le cœur battant.

L'extase fusa dans ses veines au moment où il se retirait pour mieux revenir d'un puissant coup de reins. Une multitude de sensations irradiaient son corps, dont chaque cellule vibrait de désir décuplé.

— Aucune règle…, gronda Acheron. Je ne veux plus aucune règle entre nous.

L'intensité de ce qu'il lui faisait ressentir était telle que les mots manquèrent à Tabby. La bouche d'Acheron chercha la sienne, et la force de son baiser alliée à ses lents va-et-vient attisa encore son excitation. Jamais semblable passion ne l'avait étreinte. Leurs corps ondulaient au rythme de ses gémissements, dans un lent crescendo qui les propulsa ensemble jusqu'à l'apothéose finale.

Il l'enlaça étroitement, alors même que le plaisir continuait à se répercuter dans sa chair comblée.

— Tu es fabuleuse…

— Toi aussi, souffla-t-elle, épuisée entre ses bras.

— Nous allons recommencer, décréta Acheron. Souvent. Plus question de faire chambre à part. Finis, les douches froides et les Bikinis que je n'ai pas le droit d'enlever.

— Sommeil…, murmura Tabby, les paupières lourdes.

— Dors, *koukla mou*.

Il déposa un baiser sur son front.

— Tu vas avoir besoin de toute ton énergie, dorénavant.

9.

Tabby se réveilla pour la quatrième fois en vingt-quatre heures, totalement désorientée. Elle cligna des yeux, éblouie par le flot de soleil qui inondait la chambre…

… et se redressa comme un ressort.

Elle avait dormi jusqu'au milieu de l'après-midi ! Honteuse, elle se leva vivement. Acheron avait vu juste : la douleur dans sa cheville s'était considérablement atténuée, même si sa hanche continuait à la faire souffrir.

Curieuse de découvrir son nouveau lieu de résidence, elle boitilla jusqu'à la porte-fenêtre et sortit sur le balcon.

La vue était à couper le souffle ! De hauts rochers escarpés entouraient une crique de sable blanc, bordée par des eaux turquoise si claires qu'elle en distinguait presque le fond. Un jardin planté d'arbres luxuriants descendait jusqu'à la plage. Jamais elle n'avait contemplé décor si idyllique. Son attention, pourtant, fut distraite par les deux silhouettes qui se détachaient sur le sable. La poussette d'Amber était installée à l'ombre des rochers pendant que Mélinda, moulée dans un minuscule Bikini rouge, s'adressait avec animation à Acheron, vêtu seulement d'un caleçon de bain.

Tabby éprouva malgré elle la morsure de la jalousie. Le couple renvoyait une image d'intimité qui la troubla autant que sa propre réaction. Elle fronça les sourcils en voyant Mélinda poser la main sur le bras d'Acheron. Le contact ne dura cependant qu'une seconde car il recula aussitôt.

L'instant d'après, il s'éloignait à grandes enjambées vers la villa.

Perturbée par cet épisode, Tabby rentra en hâte dans la chambre. Sa relation avec l'homme qu'elle avait épousé prenait un tour nouveau, et c'était son propre désir sexuel, à sa grande honte, qui avait changé la donne.

« Aucune règle », avait proclamé Acheron dans le feu de la passion. De fait, celles qu'elle avait si désespérément tenté d'imposer s'étaient révélées aussi pathétiques que sa certitude de lui résister. Plus alarmant encore était cet accès de jalousie qui l'avait assaillie en le voyant avec Mélinda. Que lui arrivait-il ? Elle se comportait comme une adolescente en proie à son premier béguin ! Se pouvait-il que…

Son désir pour Acheron s'était-il mué en quelque chose de plus profond ?

Elle ouvrit ses valises et y prit une robe légère ainsi que des sous-vêtements. Sa jambe blessée l'obligeant à utiliser le lavabo plutôt que la douche, sa toilette nécessita un certain temps. Lorsqu'elle en sortit, la salle de bains ressemblait à une piscine, mais au moins se sentait-elle de nouveau elle-même, propre, coiffée et maquillée.

Acheron entra dans la chambre et resta subjugué. Un rayon de soleil éclairait Tabby, nimbant d'un halo doré sa chevelure et ses traits délicats. Elle ressemblait à une sylphide, dans sa robe bleu pâle assortie au violet de ses yeux — des yeux de biche effarée qui évitaient obstinément les siens. Elle était si honnête dans ses réactions, si transparente ! Elle ne cachait rien, et cette incapacité à masquer ses émotions la rendait terriblement vulnérable. D'une seconde à l'autre, elle allait l'accabler de reproches au sujet de leur intimité renouvelée, exactement comme après leur nuit de noces…

— Tabby…, murmura-t-il, prenant les devants.

Son regard était irrésistiblement attiré par les pointes de ses seins, visibles sous le tissu de la robe. Une intense envie de la posséder l'envahit de nouveau.

— Ash, souffla-t-elle. Il faut qu'on parle…

— Non, *glyka mou*. Cette fois, nous procéderons à ma façon. Profitons de ce qu'il y a entre nous, aussi longtemps que cela durera. A quoi bon retourner les choses dans tous les sens ?

Tabby se mordit la lèvre. Il avait formulé sa pensée avant même qu'elle n'ait pris forme dans sa tête. C'était, soupçonnait-elle, du Acheron tout craché en matière de relations : ne rien dire, ne rien faire, et le problème finissait par disparaître de lui-même.

— Je n'allais pas retourner les choses dans tous les sens, protesta-t-elle, vacillant sur sa jambe valide.

Rester debout trop longtemps la faisait souffrir. D'un bond, Acheron la rejoignit et lui passa le bras autour de la taille. Une soudaine chaleur envahit Tabby à ce contact.

— Tu ne peux pas t'en empêcher, *moli mou*…

Déjà, ses lèvres se posaient sur les siennes pour un fougueux baiser.

— Oh ! fit-elle, prise au dépourvu.

Lentement, il lui retira sa robe, ses prunelles noires et or la défiant de l'arrêter. Mais Tabby frissonnait déjà d'impatience. Sans la quitter des yeux, il glissa les doigts sous sa culotte de dentelle, et ses caresses osées allumèrent un brasier en elle. Elle s'accrocha à lui et ne songea même pas à résister lorsqu'il l'allongea sur le lit.

— Je viens de me lever…, fut tout ce qu'elle parvint à objecter.

— Tu aurais dû m'attendre, *glyca mou*.

— Je n'arrive pas à croire que tu aies de nouveau envie de moi.

— Dès que je te regarde, j'ai envie de toi, répondit Acheron, avec une spontanéité qui la surprit.

— Sauf la première fois où tu m'as vue, lui rappela-t-elle.

— Tu m'avais insulté… Mais maintenant que je te connais, toutes tes injures ne m'empêcheraient pas de te considérer comme la femme la plus sexy du monde.

Secrètement ravie du compliment, Tabby ouvrit des yeux ébahis.

— Tu le penses vraiment ?

— Tu as besoin d'une confirmation ? Je suis incapable de me passer de toi plus de quelques heures, et tu doutes de ma sincérité ?

Sans cérémonie, il lui ôta sa culotte et lui écarta les jambes, le regard assombri de désir devant sa féminité exposée. Embarrassée, elle tenta pudiquement de resserrer les cuisses.

— Non, lui intima-t-il. J'aime te regarder, et ce que je vois m'enchante.

Tabby partagea son enchantement lorsqu'il retira son caleçon de bain, apparaissant dans toute la splendeur de sa nudité. Une vague brûlante monta en elle. Ce désir qui résonnait jusqu'au tréfonds de son âme aurait dû la terrifier, mais non. Pour la première fois de sa vie, elle suivait son instinct, sans réfléchir. Elle se laissait porter par l'instant.

— *Thee mou*, tu es si chaude, si prête pour moi, murmura Acheron en se pressant contre elle, ponctuant chaque mot d'un baiser passionné.

Ses mains stimulaient chacune de ses zones érogènes, jusqu'à la rendre folle de désir. Alors, seulement, il s'enfonça en elle d'une vigoureuse poussée, avant de s'immobiliser pour l'embrasser sur le front.

— Je t'ai fait mal ?

— Non, continue, l'implora-t-elle, le souffle court.

Elle s'accrocha à ses épaules tandis qu'il la chevauchait, gémissant de plaisir sous ses assauts. L'excitation montait en elle, véritable raz-de-marée de sensations qui la soulevait et l'emportait inexorablement, jusqu'à la vague ultime qui la projeta vers des sommets de pure félicité.

— Désolé. Je n'ai pas été très délicat…, s'excusa Acheron en la serrant dans ses bras.

Elle déposa un baiser sur son torse, savourant l'odeur

musquée de sa peau, et plus encore ce doux moment d'intimité.

— Aucune importance. Pour moi, c'était un dix sur dix.

— Tu me notes, maintenant ?

— Si tu tombes en dessous de cinq, tu auras un avertissement, le taquina-t-elle.

Elle se sentait légère, décidée à ne pas « retourner les choses dans tous les sens », mais c'était plus fort qu'elle. La réalité reprenait peu à peu ses droits, avec son lot d'incertitudes et de questions sans réponses.

— Je t'ai vu sur la plage avec Mélinda, dit-elle tout à coup.

Acheron se raidit perceptiblement.

— J'ai engagé une nouvelle nounou, qui travaillera en tandem avec Mélinda avant de la remplacer définitivement. Un changement trop brusque risquerait de perturber Amber.

Cette annonce médusa Tabby. Elle était à la fois soulagée d'apprendre le départ imminent de Mélinda et touchée par la prévenance d'Acheron envers la fillette.

— Tu comptes licencier Mélinda ?

— Son contrat est temporaire et peut être résilié à tout moment, répondit-il. Elle en sait un peu trop sur notre mariage à mon goût…

— Que veux-tu dire ?

— Elle sait que nous faisons chambre à part. Tout à l'heure, sur la plage, elle a proposé de s'installer dans celle d'Amber afin de me céder la sienne.

Tabby s'empourpra. Découvrir que leurs modalités de couchage avaient attiré l'attention du personnel l'embarrassait et l'ennuyait.

— Peut-être te réservait-elle une visite nocturne, suggéra-t-elle. Elle te fait du charme, non ?

Acheron resta impassible.

— Cela arrive.

— Souvent ?

— Tout le temps, soupira-t-il. Ma froideur suffit généralement à décourager les plus tenaces, mais pas Mélinda. Elle sait que notre union n'est pas… conventionnelle. Si elle en informe la presse, je serai accusé d'avoir fait un mariage de complaisance dans le seul but de contourner les dernières volontés de mon père.

Tabby fit la grimace.

— Il faut que nous soyons plus convaincants. Partageons la même chambre, passons du temps ensemble… Feignons d'agir comme un vrai couple en lune de miel.

— Nous n'avons plus besoin de feindre, lui fit remarquer Acheron avec un sourire.

Le cœur de Tabby se serra. Au fond d'elle, elle *saurait* que leur relation était une imposture. Il lui offrait du sexe, torride et fabuleux, mais rien de plus. Peut-être était-ce tout ce dont il était capable : une relation purement physique et limitée dans le temps. Et qui était-elle pour le juger ? Elle n'était guère plus mature dans ce domaine. Elle le désirait tellement ! Elle était prête à tout pour garder son attention, même si leur liaison remuait des émotions auxquelles elle n'était pas sûre de savoir faire face…

— Pourquoi ton père t'a-t-il obligé à te marier contre ton gré *via* son testament ? demanda-t-elle.

Elle touchait là au cœur du mystère. Un mystère qu'Acheron avait toujours soigneusement évité d'éclaircir.

— Pour faire court, il voulait que j'épouse Kasma, dit-il. C'est la première et dernière fois que j'en parle.

Tabby contint sa rancune face à cette omission de taille. Les reproches ne serviraient qu'à le braquer. Mieux valait laisser Kasma de côté et attaquer le problème sous un angle différent.

— Mais ton père connaissait ta position, non ? Etiez-vous proches ?

Un nerf tressauta sur sa mâchoire.

— Je l'ai rencontré il y a quelques années seulement. Notre relation était surtout professionnelle. Il avait besoin d'aide pour redresser sa société en difficulté. J'ai fini par le remplacer à la tête de DT Industries.

— T'en a-t-il voulu ?

— Pas du tout. Il se souciait peu de ses affaires et cherchait avant tout à assurer l'avenir de sa famille.

— C'est-à-dire, de ta belle-mère et de ses enfants ?

Acheron pinça les lèvres.

— Mon père a épousé Ianthe alors que ses enfants étaient très jeunes. Il les a élevés comme les siens. Pour ma part, je ne les ai rencontrés qu'il y a environ dix-huit mois.

— Pourquoi si tard ? questionna Tabby, surprise.

— Ils étaient des étrangers, pour moi. Nous n'avions aucun lien de sang et, par conséquent, je ne voulais rien avoir à faire avec cette part de la vie de mon père. La suite des événements a prouvé que j'avais raison de me méfier, conclut-il, la mine sombre.

Un silence chargé de non-dits les enveloppa. Le mystère s'épaississait, au grand dam de Tabby. Que s'était-il passé entre lui et Kasma ? A l'évidence, leur liaison avait fait naître chez la belle brune des espoirs qu'Acheron n'avait jamais souhaité concrétiser. Y avait-il eu un drame ? Kasma était-elle tombée enceinte ? Cela expliquerait pourquoi le père d'Acheron tenait tant à ce que son fils épouse sa fille adoptive. Celle-ci semblait croire dur comme fer qu'elle seule méritait de devenir la femme d'Acheron. Etait-elle amoureuse de lui ou visait-elle uniquement sa fortune et son statut ?

Quelle importance ? songea Tabby. Dans tous les cas, Ash l'avait repoussée. Inutile de se monter la tête avec des scénarios imaginaires. Pourtant…

Si c'était aussi simple que cela, pourquoi refusait-il d'en parler ?

— Es-tu obligé de faire tant de mystères ? se plaignit-elle. Un peu de franchise faciliterait les choses.

— La tienne me terrifie, parfois, *glyca mou*.

Il soupira.

— Pour que ce mariage fonctionne, nous allons devoir tous les deux apprendre à faire des compromis…

Quelques semaines plus tard, Tabby se relaxait dans le jardin, en short et haut de Bikini, Ash à côté d'elle. Alors qu'il lui caressait le bras, ses doigts s'attardèrent sur la rose qui l'ornait.

— Ton tatouage est rugueux et le motif imprécis. Le tatoueur a dû abîmer ta peau…

Tabby dégagea son bras d'un mouvement sec.

— Ne me touche pas là.

— Pourquoi ? insista Acheron, avec un regard pénétrant.

— Est-ce que tu vas encore me demander de le faire enlever au laser ?

Au fond, pensa-t-elle, le moment était peut-être venu de lui avouer la vérité. Ainsi, sa curiosité serait satisfaite.

— Si tu tiens tant à le savoir, je ne le fais pas effacer car il cache une cicatrice. Le tatoueur a fait de son mieux et le résultat est plus qu'honorable.

Ash fronça les sourcils.

— Quel genre de cicatrice ?

— Je n'ai pas envie d'en parler, dit-elle, coupant court à la discussion.

Elle se leva brusquement et se dirigea à grands pas vers la plage.

Bon sang ! Il y avait des moments où elle l'aurait volontiers jeté à la mer ! Dire qu'elle se croyait indiscrète ! A côté d'Acheron, elle était un modèle de délicatesse. Sans parler de son perfectionnisme qui frôlait la tyrannie… Alors qu'il n'avait aucune intention de passer sa vie avec elle, il persistait à vouloir la convaincre de faire enlever son tatouage. Et Dieu qu'il était insistant ! Pas plus tard qu'au petit déjeuner, il lui avait demandé si elle aimerait qu'Amber se fasse tatouer un jour, elle aussi. Sa moue horrifiée l'avait immédiatement trahie.

— Tu vois que tu regrettes ! s'était-il exclamé triomphalement.

Oui, il était franchement insupportable, parfois. Mais c'était aussi un amant hors pair, un compagnon agréable et une figure paternelle attentionnée pour Amber. Ce mois à ses côtés avait filé à la vitesse de l'éclair ! Sa cheville endolorie les avait contraints à passer la première semaine à la villa. Ensuite, ils avaient entrepris d'explorer les splendeurs de la Sardaigne, et une foule de précieux souvenirs se pressaient dans sa tête.

Ensemble, ils avaient gravi l'interminable escalier jusqu'à la terrasse du Bastion, un effort récompensé par une vue imprenable sur les toits de Cagliari. Ce n'est qu'une fois au sommet qu'Acheron avait mentionné l'existence d'un ascenseur… Rien ne valait le charme de la promenade, avait-il assuré devant son air dépité. Un cocktail rafraîchissant avait eu raison de sa rancune, et plus encore sa main glissée dans la sienne lors de la descente.

Une autre fois, ils avaient visité le charmant village de Castelsardo, dominé par une citadelle magnifiquement illuminée, puis profité d'un concert en plein air sur la *piazza*. Fascinée par l'animation ambiante, Amber avait ouvert de grands yeux, sous le regard attendri d'Acheron.

Le soir suivant, optant pour un divertissement plus adulte, ils s'étaient rendus au Billionaire Club, où ils avaient dansé jusqu'à l'aube. Tabby s'était d'abord sentie complexée parmi toutes ces créatures de rêve en quête d'un généreux bienfaiteur pour la nuit, mais Acheron s'était comporté comme si elle seule existait. Le baiser enflammé qu'il lui avait donné sur la piste de danse avait certainement contribué à regonfler son estime d'elle-même.

Puis, pendant trois jours, ils avaient exploré en yacht le parc national de la Maddalena, un archipel protégé qui offrait une faune et une flore exceptionnelles. Le dernier après-midi, ils l'avaient passé dans une crique déserte, à se baigner nus et à faire l'amour sur la plage. Epuisée, Tabby avait fini par s'endormir. Il avait fallu l'odeur alléchante du barbecue qu'Acheron préparait pour le dîner pour la réveiller.

Bien sûr, ils n'avaient pas dédaigné certaines activités plus conventionnelles, comme faire les boutiques de la Costa Smeralda. Le désintérêt absolu de Tabby pour le shopping de luxe avait déconcerté Acheron.

— Il y a bien quelque chose qui te fait envie, avait-il insisté. Depuis notre arrivée, je ne t'ai acheté qu'une parure de draps !

Tabby l'avait repérée dans un petit magasin d'artisanat. Les splendides broderies anglaises qui ornaient ces draps lui avaient immédiatement tapé dans l'œil. Très maladroite avec du fil et une aiguille, elle admirait tant d'habileté. C'était un achat qu'elle chérissait même si, avait-elle réalisé plus tard, la lourde parure d'hiver ne garnirait jamais le lit qu'elle partageait avec Acheron. Car la fin de l'été sonnerait aussi le glas de leur mariage…

Elle savait pertinemment qu'ils jouaient la comédie ; elle avait même posé à son côté pour un paparazzo qui les avait suivis dans tout Porto Cervo. L'investissement d'Acheron dépassait cependant tout ce qu'elle avait imaginé, à tel point qu'il lui arrivait de le considérer comme son vrai mari…

Autant se rendre à l'évidence : elle était tombée éperdument, irrévocablement amoureuse. Aucun homme ne l'avait jamais traitée avec autant d'égards, ni rendue aussi heureuse. Il lui faisait l'amour quotidiennement, plusieurs fois par jour, comme si elle était la femme la plus sexy au monde ! Museler ses émotions devenait chaque jour plus difficile, mais il le fallait. Si Ash venait à découvrir ses sentiments, il culpabiliserait, conscient de lui briser le cœur.

Après tout, était-ce sa faute si elle s'était éprise de lui ? Il ne lui avait fait aucune promesse, loin de là. Dès le début, la situation avait été claire : une fois Amber légalement adoptée, leur mariage n'aurait plus aucune raison d'être. Tabby commencerait une nouvelle vie auprès de la fillette, tandis qu'Acheron reprendrait la sienne entre travail et liaisons d'un soir. La perspective de ne jamais le revoir lui serrait le cœur. Souhaiterait-il garder le contact avec Amber après le divorce ou préférerait-il couper les ponts comme si elle n'avait jamais existé ?

Soudain, deux bras puissants l'enlacèrent par-derrière, interrompant sa rêverie.

Ash…

A l'évidence décidé à obtenir le fin mot de l'histoire.

— Cette cicatrice, sous ton tatouage… Comment te l'es-tu faite ? Etait-ce un accident ?

— Non…

Touchée par sa considération, elle regrettait déjà de s'être emportée. Quand Amber avait commencé à faire ses dents, il avait été là pour elle, la berçant et la cajolant au milieu de la nuit jusqu'à ce qu'elle se rendorme. Une telle implication de sa part l'avait surprise. Contre toute attente, Acheron avait accepté sereinement les aspects moins idylliques de la paternité, sans chercher à s'y soustraire.

Quant à la nouvelle nounou, Teresa, une Italienne aussi pipelette que chaleureuse, c'était une véritable perle. Elle n'avait d'yeux que pour Amber et secondait efficacement Mélinda qui, dès la fin de la semaine, regagnerait Londres où l'attendait une position permanente dans une nouvelle famille.

— Tabby, je t'ai posé une question, insista doucement Acheron. Si ce n'était pas un accident…

Le moment était venu ; elle ne pouvait plus reculer.

— Ma mère m'a brûlée avec un fer à repasser parce que j'avais renversé du lait, dit-elle d'une voix tendue.

— *Thee mou…*

Les traits figés par le choc, Acheron la fit pivoter dans ses bras.

— Après cela, il a été interdit à mes parents de rester seuls avec moi, continua-t-elle. Ma mère est allée en prison pour son geste, et je ne les ai plus jamais revus.

Une rage féroce s'empara d'Acheron, une rage mêlée de dégoût pour ces gens odieux, au point qu'il en eut la nausée et que ses mains se mirent à trembler. D'instinct, mû par le besoin inexplicable de la serrer contre lui, il referma les bras autour de Tabby.

— Cela a dû être un soulagement…

— Non. Je les aimais. Ils ne méritaient pas mon amour, mais ils étaient tout ce que j'avais au monde.

Tabby ravala une boule d'émotion. Comme elle aurait aimé étreindre Acheron et s'abandonner au réconfort qu'il tentait maladroitement de lui offrir ! Hélas ! elle avait appris très jeune à réprimer ses élans d'affection. Toutes ces années de rejet l'avaient profondément marquée, et son corps refusait de fléchir dans le cercle étroit de ses bras.

— Je comprends, murmura-t-il. Je voyais rarement ma mère, mais je l'idolâtrais…

— Quel couple nous formons ! plaisanta Tabby.

Soudain, sa tension se relâcha, et les larmes jaillirent de ses paupières. Le trop-plein d'émotions, sans doute. C'était la première fois qu'elle évoquait cet épisode tabou de son enfance.

Acheron serra les dents.

— Je ne supporte pas l'idée qu'on ait pu te blesser, *yineka mou*.

— N'en parlons plus. Adolescente, j'y repensais chaque fois que je voyais ma cicatrice. Les gens me demandaient ce qu'il m'était arrivé. C'est pour cela que je me suis fait tatouer. Pour oublier.

— Cette rose est ton badge de survie, déclara Acheron. Porte-la avec fierté. Si seulement tu m'avais expliqué tout cela plus tôt…

— Parlons d'autre chose, dit Tabby. De toi, par exemple. Ne gardes-tu pas quelques bons souvenirs de ta mère ?

Il passa un bras autour de ses épaules et, ensemble, ils regagnèrent le jardin.

— La veille de mon premier jour d'école, elle m'a

offert un stylo hors de prix avec mon nom gravé dessus. Bien sûr, je n'avais droit qu'à un crayon, en classe, mais cela ne lui avait pas traversé l'esprit. Elle aimait ce genre d'extravagances et me répétait toujours qu'un Dimitrakos ne se contentait que du meilleur.

— Peut-être avait-elle été élevée ainsi, suggéra Tabby. Cela n'explique pas pourquoi ce stylo t'a rendu heureux…

— La plupart du temps, elle m'ignorait. Mais, cette semaine-là, elle sortait de désintoxication, décidée à changer de vie. C'est la seule fois où j'ai senti qu'elle se souciait vraiment de moi. Elle m'a même tenu un discours sur l'importance de mon éducation… Elle qui avait abandonné le lycée et ne lisait que des revues…, conclut-il avec ironie.

— Tu as toujours le stylo ?

— Non. On me l'a volé.

Son sourire nostalgique affola le cœur de Tabby.

— Mais il me reste ce parfait souvenir de ma mère.

Ash était satisfait de sa commande, un bijou spécialement créé pour l'anniversaire de Tabby, qui tombait la même semaine que le sien. Pourtant, à peine eut-il raccroché le téléphone que le doute l'assaillit. Au fond, pourquoi se donnait-il tant de mal ? Tout cela pour une épouse dont il comptait divorcer sous peu…

Sa raison lui criait de garder ses distances, mais comment rester détaché après les révélations de Tabby sur son enfance douloureuse ? La sienne, en comparaison, lui laissait un goût moins amer. Bien que sa mère ait été un parent égoïste et négligent, il n'avait jamais douté qu'elle l'aimait. Quant à son père, sans les machinations d'une personne mal intentionnée, peut-être en serait-il venu à l'aimer aussi.

Tourmenté par ces réflexions, il resta silencieux durant le dîner. Il ne se reconnaissait plus, et cela l'irritait. De plus, l'expression angoissée de Tabby n'arrangeait rien. Même en pleine crise existentielle, il culpabilisait de la mettre dans cet état. Les conflits intérieurs n'étaient pas sa tasse de thé. Les émotions qu'elle soulevait en lui l'exaspéraient et le déstabilisaient. Elle était trop intense, trop… *réelle*. Il avait besoin de recul, décida-t-il sur un coup de tête. Oui, il allait s'éloigner quelque temps.

Cette décision prise, il se sentit de nouveau maître de lui-même.

— Je dois partir deux jours en voyage d'affaires, annonça-t-il plus tard, en sortant de la salle de bains.

Subjuguée par la vue de son corps bronzé, nu à part la serviette négligemment nouée à la taille, Tabby ne réagit pas tout de suite. Lorsque ses mots l'atteignirent, un froid glacial l'envahit. Elle se hâta de se ressaisir. Ash avait totalement négligé son travail, ces dernières semaines, et elle s'était un peu trop habituée à sa compagnie. Cette vie insouciante ne pouvait durer éternellement. Etait-ce la raison de son mutisme au dîner ? se demanda-t-elle. S'inquiétait-il de sa réaction ? Eh bien, elle allait lui montrer qu'elle était une femme forte, pas du genre à se plaindre.

— Tu vas me manquer. Mais ton travail passe avant tout, dit-elle d'un ton léger.

Ash contint sa surprise. Pas de protestations ? Pas de supplications pour l'accompagner ? Une autre femme aurait cherché à le retenir, et il se serait senti étouffé. Mais pas Tabby. Au moment où elle se glissait entre les draps, il admira ses courbes plus épanouies depuis qu'elle mangeait davantage. Elle avait également cessé de se ronger les ongles — autant de petits changements qu'il appréciait à leur juste valeur. Sa nuisette épousait les délices secrets de son corps, et un désir sauvage s'éveilla en lui. Rassemblant son sang-froid, il ôta sa serviette, éteignit la lumière et la rejoignit.

Pas ce soir, décida-t-il, avec la détermination du soldat confronté à sa plus rude bataille.

Mais Tabby ne l'entendait pas de cette oreille. Déjà,

elle roulait vers lui et glissait les doigts entre ses cuisses, sa crinière soyeuse lui caressant le ventre.

Il ferma les yeux et s'efforça de penser à autre chose. La repousser ne ferait que la contrarier. Pourquoi prendre un tel risque ? La bouche de Tabby se referma sur son sexe érigé, et il souleva d'instinct les hanches pour l'encourager. Une nouvelle inquiétude s'insinua en lui. Leur divorce imminent risquait-il de la blesser ? Elle le regardait avec une affection qui semblait sincère, agissait avec lui comme s'il était… spécial. Quand il ne se jetait pas sur elle au lit, c'était elle qui prenait les devants. Et elle ne manquait jamais une occasion de le serrer dans ses bras.

Sauf cet après-midi. Elle n'avait pas réagi lorsqu'il l'avait enlacée sur la plage, dans un effort pour la réconforter après ce qu'il l'avait obligée à revivre par ses questions insistantes…

Pourquoi ?

Une vague de plaisir intense balaya ses interrogations. Il n'avait pas envie d'y penser. Le sentimentalisme, ce n'était pas son truc. Il s'était sans doute montré maladroit, voilà tout.

Tabby s'était pelotonnée de son côté du lit. Après leurs ébats, Acheron ne l'avait pas enlacée comme à son habitude. Elle se sentait exclue, abandonnée. Elle le détestait, l'aimait, le désirait… Existait-il pire torture pour une femme que l'amour ? A quoi servait d'espérer ce qu'il se refusait à lui donner ? Leur divorce était inévitable, planifié noir sur blanc dans un contrat de mariage auquel elle ne pouvait se soustraire.

Eprouvait-il encore des sentiments pour Kasma ? Toutes ses tentatives pour l'amener à parler d'elle s'étaient soldées par des échecs. Le convaincre de se dévoiler intimement était comme demander à la terre d'arrêter de tourner. D'après son expérience, les gens n'évitaient que les sujets qui les embarrassaient ou les faisaient souffrir. Autant dire que sa relation avec Kasma avait dû laisser de profondes séquelles…

A son réveil, Tabby découvrit, avec une pointe de déception, qu'Acheron était déjà parti, sans laisser de mot. Elle passa néanmoins une journée tranquille en compagnie d'Amber et de Teresa. Le lendemain, le silence persistant d'Acheron accrut sa déception, mais elle se raisonna. Son voyage ne devait durer que deux jours, et elle n'allait pas exiger qu'il l'appelle toutes les heures… Cependant, la journée s'annonçait longue, sans lui.

Agacée par son humeur morose, elle alla prendre une douche puis revint dans sa chambre pour s'habiller. Lorsqu'elle voulut se regarder dans le miroir en pied, un frisson glacé la parcourut. En travers de la glace, quelqu'un avait écrit :

« Il t'utilise ! »

Ses bras se couvrirent de chair de poule. Qui cherchait à la mettre en garde ? Car le message était personnel, cela ne faisait aucun doute, et le « il » désignait évidemment Acheron. Quelqu'un s'était introduit dans leur chambre pendant qu'elle prenait sa douche, afin de lui laisser ce message inquiétant. Or, seuls les employés de la villa avaient accès à cette pièce.

Sans hésiter, elle appela le chef de la sécurité, Dmitri, qui arriva presque aussitôt. A son expression ombrageuse, elle comprit qu'il prenait cela très au sérieux. Mais, comme son patron, il n'était guère communicatif…

Avec un soupir, elle le laissa en charge de la situation et descendit prendre son petit déjeuner.

10.

— Qu'avez-vous prévu, aujourd'hui ? s'enquit Mélinda avec un sourire engageant.

Elle s'installa à la table du petit déjeuner, ce qu'elle ne se permettait jamais en présence d'Acheron.

— Du shopping à Porto Cervo. Je cherche un cadeau d'anniversaire, répondit Tabby.

— Essayez la Piazzetta delle Chiacchere, conseilla la nounou. Il y a là-bas quelques excellentes bijouteries.

Tabby la remercia d'un hochement de tête. Son aversion pour la plantureuse blonde s'était intensifiée, ces derniers jours. Dieu merci, elle partirait à la fin de la semaine. Depuis l'arrivée de Teresa, elle passait le plus clair de son temps à errer dans la villa et à épier leurs allées et venues. Tabby la soupçonnait d'espionner ses conversations avec Acheron. Leur relation s'était resserrée, ce qui n'avait certainement pas échappé à Mélinda.

Un jour sans lui, et Tabby se sentait perdue, désœuvrée. Pas très glorieux, pour une femme qui revendiquait haut et fort son indépendance… Il lui manquait tellement ! Son attitude étrange, la veille de son départ, n'était pas pour la rassurer. Il s'était montré distant, de mauvaise humeur, et c'était à peine s'il avait réagi lorsqu'elle lui avait fait l'amour. En fait, il s'était conduit comme un…

— Mademoiselle Barnes ?

La voix grave de Dmitri interrompit ses réflexions.

— Puis-je vous parler ?

— Maintenant ? répondit Mélinda, un sourire enjôleur aux lèvres.

— Maintenant, fut la réponse glaciale de Dmitri, de toute évidence insensible au charme de la jolie blonde.

Tabby confia Amber à Teresa et remonta dans sa chambre pour se maquiller. Le message sur le miroir était toujours là. « Il t'utilise ! » Elle frissonna à sa vue

Dans ce mariage arrangé, ils s'utilisaient l'un l'autre, rectifia-t-elle avec conviction, même si elle devait admettre que les choses avaient changé depuis qu'ils partageaient le même lit. Acheron couchait-il avec elle uniquement pour renforcer l'illusion d'un mariage « normal » ? Après tout, il avait tout intérêt à ne pas être surpris avec une autre femme. En ce qui la concernait, elle l'aimait et *voulait* qu'il lui fasse l'amour. S'il l'utilisait, elle en profitait autant que lui…

Ou n'était-elle qu'une idiote aveuglée par ses sentiments ?

Acheron arpentait nerveusement le salon VIP de l'aéroport. Depuis l'appel de Dmitri, il était sur des charbons ardents, et l'angoisse l'empêchait de réfléchir avec son calme habituel. Il n'avait qu'une idée en tête : rentrer en Sardaigne et protéger Tabby et Amber. Malheureusement, obtenir une autorisation de décollage pour son jet privé se révélait plus long que prévu. Comme il se maudissait de les avoir laissées ! Dieu seul savait ce dont Kasma était capable !

Pourquoi avait-il fallu qu'il parte alors que son seul désir était d'être avec Tabby ? Parce qu'il préférait prendre la fuite plutôt qu'affronter des émotions qui le dépassaient, voilà pourquoi. Tout cela était nouveau pour lui. Partagé entre la force de ses sentiments et la peur de perdre le contrôle, il avait cédé à la panique. Ou, plus exactement, il l'avait utilisée comme prétexte et en payait le prix.

Tabby. *Sa* Tabby. Si quelque chose lui arrivait…

Sur un signe de son pilote lui indiquant que tout était enfin en ordre, il quitta en trombe le salon VIP.

— Votre mari préférerait que vous ne sortiez pas, aujourd'hui, dit Dmitri.

Tabby lui lança un regard incrédule. Elle n'était pas d'humeur à être consignée comme une enfant. Décidément, Acheron ne doutait vraiment de rien ! Comment osait-il lui donner des ordres par l'intermédiaire du chef de la sécurité ? Surtout après l'avoir quittée comme il l'avait fait, sans même un au revoir. Lui et son éternel besoin de tout contrôler… Le pauvre Dmitri était embarrassé d'avoir à lui transmettre une telle consigne, elle le sentait.

— Désolée, mais j'ai une course urgente à faire, répondit-elle posément.

— Dans ce cas, laissez-moi être votre chauffeur, madame Dimitrakos.

Par souci de conciliation, elle acquiesça, tout en se promettant d'avoir avec Acheron une sérieuse discussion au sujet de l'imposant dispositif de sécurité dont ils faisaient l'objet. Avaient-ils besoin d'être protégés partout où ils allaient ? Quel était le risque *réel* d'agression ou de kidnapping ? Acheron était-il la cible de menaces précises dont elle ignorait tout ?

— Vous allez vous ennuyer, avertit-elle Dmitri en prenant place dans le SUV, avec un regard résigné vers la seconde voiture remplie de gardes du corps.

— Pas de problème, assura-t-il. J'ai l'habitude de faire du shopping avec ma femme. Elle peut rester dix minutes entières devant une vitrine…

Tabby se garda de lui dire que ce serait sûrement pire avec elle. Elle n'avait aucune idée de ce qu'elle voulait acheter et comptait sur une inspiration subite. Qu'offrir à un homme qui possédait déjà tout ? La somme faramineuse qu'il lui avait versée lors de la signature de leur accord dormait toujours sur son compte, intacte. Ce n'étaient donc pas les moyens qui lui manquaient.

Dmitri sur ses talons, elle écuma les bijouteries et autres boutiques de luxe. A part son alliance et éventuellement des boutons de manchettes, Acheron ne portait jamais de bijoux. Quelles autres possibilités cela lui laissait-il ? Une cravate de soie ? Il en possédait déjà trois tiroirs pleins ! Alors qu'elle se torturait les méninges, son regard tomba sur un stylo en argent dans un écrin frappé du logo d'une marque prestigieuse. Son prix avait de quoi faire défaillir, mais elle se rappela le stylo que lui avait offert sa mère, et décida que le coût importait moins que l'intention. Pourquoi tenait-elle tant à lui faire un cadeau personnel ? Elle l'ignorait. Peut-être espérait-elle, dans un coin secret de son cœur, qu'il lui rappellerait ce qu'ils avaient partagé, une fois le divorce prononcé…

Pathétique ! se fustigea-t-elle.

Elle acheta le stylo et demanda qu'il soit gravé au nom d'Acheron. Au moment de régler, elle tendit sa carte bancaire avec désinvolture, comme si ce genre d'achat n'était qu'une bagatelle, alors qu'elle était secrètement horrifiée par cette dépense astronomique. Un peu ébranlée par cette expérience nouvelle, elle fit part à Dmitri de son désir d'aller boire un café. Il la conduisit à une terrasse ombragée et s'installa un peu plus loin. A peine trempait-elle les lèvres dans son *latte* qu'une ombre tomba sur sa table.

— Eh bien, ce n'est pas trop tôt ! fit Kasma en s'asseyant sur la chaise d'en face.

Tabby tressaillit à l'apparition de la flamboyante brune.

— Que faites-vous ici ?

— Ash est ici, donc moi aussi, répondit la jeune femme comme si c'était une évidence. Il m'appartient, ne l'avez-vous pas encore compris ?

— Mademoiselle Philippides, intervint alors Dmitri, dominant Kasma de toute sa hauteur. Veuillez vous en aller, s'il vous plaît.

Kasma lui lança un regard plein de bravade.

— C'est un lieu public, non ? Je peux aller où bon me semble, sur cette île. Nous ne sommes pas en Grèce.

— Dans ce cas, je suggère que ce soit nous qui partions, reprit le garde du corps en s'adressant à Tabby.

— Quand j'aurai fini mon café, dit-elle, résolue à écouter ce que Kasma avait à dire.

Ce n'était pas Acheron qui allait répondre à ses questions… La mine sombre, Dmitri alla s'asseoir à la table voisine.

— Allons droit au but, annonça Kasma. Combien voulez-vous pour mettre un terme à ce mariage absurde ?

Tabby resta un instant abasourdie.

— Vous n'êtes pas sérieuse ?

— Oh ! je suis toujours sérieuse quand il s'agit d'Ash ! C'est moi qu'il aurait épousée, pas vous, si mon beau-père n'avait pas bêtement essayé de lui forcer la main. Il est si orgueilleux, parfois…

— Ne vous laissez pas entraîner dans cette discussion, madame Dimitrakos, intervint une fois de plus Dmitri.

Kasma le foudroya du regard et l'abreuva d'un flot de paroles en grec. Rien de très amical, à en juger par son expression effrayante. Tabby regrettait à présent de ne pas avoir suivi le conseil du garde du corps. Elle prit son sac et laissa sur la table de quoi régler la note.

— Tout l'or du monde ne me persuaderait pas de quitter Acheron, dit-elle en se levant. Je l'aime.

— Pas autant que moi ! s'écria Kasma. Sale intrigante ! Traînée !

La violence de cette attaque verbale paralysa Tabby. D'une poigne ferme, Dmitri lui saisit le bras et l'entraîna vers la voiture.

— Kasma Philippides est une femme dangereusement instable, expliqua-t-il. On ne peut pas raisonner avec elle. M. Dimitrakos a une ordonnance restrictive à son encontre qui lui interdit de l'approcher sur le sol grec.

— Pourquoi ne m'a-t-il rien dit ? s'exclama Tabby, encore

secouée. S'il l'avait fait, je serais partie immédiatement. Déjà, au mariage, j'avais remarqué qu'elle semblait obsédée par lui. Mais je n'avais pas mesuré à quel point…

— Il ne s'attendait pas à ce qu'elle vous suive ici. A propos, il sera de retour dans quelques heures.

Un profond soulagement l'envahit. Cette fois, il serait bien obligé de lui dévoiler toute l'histoire. Il lui avait certainement fallu du cran pour attaquer sa sœur adoptive en justice, surtout du vivant de son père. Qu'est-ce qui avait pu le pousser à une telle extrémité ? Kasma l'avait-elle harcelé par le passé ?

Ils roulaient le long de la côte, lorsqu'elle remarqua que Dmitri jetait de fréquents regards à son rétroviseur. Inquiète, elle se retourna et vit une voiture rouge qui se rapprochait à vive allure, et conduite par une femme brune.

— La police est avertie, l'informa le chef de la sécurité. Mais assurez-vous que votre ceinture est bien attachée. Il se peut que nous ayons à la semer…

— La semer ? répéta Tabby.

Un instant plus tard, un choc brutal à l'arrière du SUV lui arracha un cri.

— Elle essaie de nous rentrer dedans ? Mais elle est complètement folle !

Toute son attention concentrée sur la route, Dmitri accéléra sans répondre. Le cœur de Tabby battait à tout rompre. Ils roulaient si vite, à présent, qu'elle en avait le vertige. Dans le rétroviseur, la voiture rouge qui se rapprochait de nouveau fit soudain une embardée. Avec horreur, Tabby la vit couper la route au véhicule qui venait de les croiser et le percuter de plein fouet.

— Mon Dieu ! s'écria-t-elle. Il y a eu un accident !

Dmitri écrasa la pédale de frein et fit marche arrière, avant de descendre précipitamment du SUV. Les gardes du corps de la seconde voiture étaient déjà sur place, affairés à transporter le passager du véhicule percuté sur le bas-côté. Le conducteur les suivait, conscient mais chancelant. La voiture rouge, quant à elle, avait terminé sa course contre un muret qui s'était partiellement écroulé sous la violence de l'impact.

L'estomac révulsé, Tabby s'approcha de la scène. Dmitri fit résolument barrage.

— Retournez dans la voiture, madame Dimitrakos. Vous n'avez pas besoin de voir cela. Mlle Philippides est morte.

— Morte ?

Incapable d'admettre que cette femme, qui lui parlait encore quelques minutes plus tôt, ait pu perdre la vie, Tabby resta un instant sonnée.

— Elle ne portait pas de ceinture, reprit Dmitri. Elle a été éjectée de la voiture.

— Et les passagers de l'autre voiture ?

— Vivants, tous les deux. Le conducteur est blessé à la jambe et le passager a un traumatisme crânien.

Elle hocha la tête et regagna lentement le SUV. Elle se sentait lointaine, étrangement détachée de l'agitation autour d'elle.

Peu après, encore sous le choc, elle fit sa déposition au commissariat, soutenue par un avocat qui lui servait également d'interprète. Lorsque ce fut terminé, on la fit patienter dans une salle d'attente.

Elle buvait son deuxième café quand Acheron fit irruption dans la pièce.

— Tu es blessée ? demanda-t-il en lui prenant les mains sans se soucier du gobelet de café qu'elle tenait encore.

Il l'inspecta de la tête aux pieds, l'air anxieux.

— Dmitri m'a juré que non, poursuivit-il, mais je n'osais y croire…

— J'allais bien, avant que tu ne me fasses renverser mon café, dit-elle en frottant les taches brunes sur son débardeur. Pouvons-nous y aller ?

— Oui, j'ai signé ma déposition. *Thee mou*, murmura-t-il. Kasma avait un couteau dans son sac !

— Un couteau ? répéta Tabby, horrifiée.

— Sans la présence de Dmitri, elle t'aurait sans doute attaquée.

Il se passa la main dans les cheveux.

— J'ai eu si peur quand j'ai appris qu'elle était ici ! J'en étais malade…

— Elle est morte, lui rappela-t-elle à mi-voix.

Acheron poussa un soupir.

— Son frère, Siméon, va venir pour organiser les funérailles. C'est un homme bien. Je lui ai proposé de rester chez nous. J'espère que cela ne te dérange pas ?

— Bien sûr que non. Malgré les événements, la famille de ton père mérite notre soutien.

— Mélinda est déjà dans un avion pour Londres, ajouta-t-il. C'est elle, l'auteur des messages sur le miroir.

— *Les* messages ? fit Tabby.

Acheron lui parla de la première inscription dans la villa toscane, expliquant que Dmitri était vite arrivé à la conclusion que seule Mélinda pouvait avoir agi dans les deux maisons. Mise au pied du mur par le chef de la sécurité, la nounou avait avoué avoir été approchée par Kasma à Londres. Cette dernière lui avait offert une forte somme pour écrire les messages et espionner Acheron, tout en la tenant au courant de leurs déplacements. Mélinda avait appris à Dmitri que Kasma se trouvait sur l'île, information qui avait précipité son propre retour.

Dans la voiture, Tabby resta silencieuse. Mille questions se pressaient sur ses lèvres, ces questions qui la tourmentaient depuis des semaines, mais la mine sombre d'Acheron la dissuadait d'aborder le sujet.

— Je te dois des explications, dit-il enfin en lui prenant la main.

D'instinct, elle la lui retira.

— Tu t'es montré exécrable la veille de ton départ et, depuis, silence radio. Se tenir la main est un peu prématuré, tu ne crois pas ? le rabroua-t-elle durement. Inutile de faire semblant, Ash. Cette journée a été un cauchemar, mais je n'ai pas besoin de ton réconfort.

— Et si j'ai *envie* de te réconforter ?

Elle haussa un sourcil cynique.

— J'ai l'habitude de me débrouiller seule et je m'en suis toujours sortie.

— J'aurais dû t'expliquer, pour Kasma. Si je ne l'ai pas fait, c'est parce que cela ravive de mauvais souvenirs…

La lumière se fit soudain dans l'esprit de Tabby.

— C'est à cause d'elle que tu as cru qu'on m'avait poussée dans l'escalier, n'est-ce pas ?

— Elle m'a peut-être rendu un peu paranoïaque, admit Acheron. Elle a détruit ma relation avec mon père avant sa mort…

— D'où cette clause dans son testament ? devina-t-elle.

— Comme tu le sais, je n'ai rencontré la famille de mon père qu'il y a dix-huit mois, et uniquement sur son insistance. Ce que j'ai omis de te dire, c'est que la semaine précédant le dîner de présentation, j'ai fait la connaissance de Kasma. Sans savoir que c'était elle, ajouta-t-il, la mâchoire crispée.

Tabby fronça les sourcils.

— Comment cela, sans savoir que c'était elle ?

— Qui sait ce qui est passé par la tête de Kasma ? Elle s'est présentée à moi sous le nom d'Ariadne. Je devais passer une nuit à Paris, et nous logions dans le même hôtel. Ce n'était pas une coïncidence : *elle* savait très bien qui j'étais. J'étais seul, je m'ennuyais. Elle m'a pris pour cible et je suis tombé dans le piège. Si tu savais combien je regrette d'avoir mordu à l'hameçon…

— Mordu à l'hameçon ?

Tabby n'était pas sûre de comprendre, ni de vouloir comprendre.

— Nous avons eu une aventure d'un soir, confessa-t-il avec une gêne manifeste. C'était une simple passade parmi d'autres. Je l'ai traitée avec respect et honnêteté, sans jamais lui donner à croire que je souhaitais la revoir.

Tabby détourna les yeux. Pour Kasma, c'était certainement plus qu'une passade. Nul doute qu'elle attendait autre chose qu'un honnête et respectueux rejet…

— Ensuite, elle s'est mise à agir comme si elle me connaissait depuis toujours, continua Acheron. Son attitude était si bizarre que j'ai préféré regagner ma chambre.

— Si elle savait qui tu étais, pourquoi a-t-elle menti sur son identité ? demanda Tabby.

Il haussa les épaules.

— Elle devait se douter que je repousserais ses avances si je savais qu'elle était la petite chérie de mon père…

— La petite chérie de ton père ?

— Kasma était encore bébé quand Ianthe a perdu son premier mari. Mon père l'a élevée à partir de ses trois ans. Elle était sa chouchoute, sa petite princesse. Il ne lui reconnaissait aucun défaut.

L'amertume perçait dans la voix d'Acheron.

— Le jour du dîner, imagine ma stupeur en découvrant qui était vraiment Kasma ! J'étais furieux qu'elle m'ait menti et mis dans une telle position. Mais le pire restait à venir… Alors que j'hésitais sur l'attitude à adopter, elle a annoncé à toute la famille qu'elle avait une surprise. Et cette surprise était qu'elle et moi sortions ensemble !

— Oh ! s'exclama Tabby, choquée par ce rebondissement. Et cet… hum… épisode, à Paris, est tout ce qu'il y avait eu entre vous ?

— Oui, mais pas d'après Kasma. Elle avait une imagination très fertile. Les mois suivants, elle s'est mise à me suivre dans tous mes déplacements et voyages d'affaires. En parallèle, elle racontait à mon père que je l'avais trompée, qu'elle était tombée enceinte, puis qu'elle avait fait une fausse couche… Il la croyait, bien sûr. Rien de ce que je lui disais ne pouvait le convaincre que ma prétendue relation avec sa précieuse fille adoptive n'était qu'un tissu de mensonges.

Il poussa un soupir.

— Après mon imprudence à Paris, peut-être méritais-je ce qu'il m'arrivait…

— Kasma t'avait délibérément piégé, objecta Tabby. Je n'approuve pas la façon dont tu t'es comporté avec elle, mais il est évident qu'elle était perturbée.

— L'année dernière, elle a attaqué une de mes amies. C'est pour cela que j'étais si inquiet pour ta sécurité et celle d'Amber.

— Qu'a-t-elle fait ?

— Elle a forcé la porte de mon appartement et frappé ma compagne en hurlant que je lui appartenais.

Il grimaça à ce souvenir.

— Mon père m'a supplié d'user de mon influence pour qu'elle ne soit pas poursuivie, mais j'étais à bout. Kasma était dangereuse et avait besoin d'être soignée, chose impossible tant que sa famille persistait à ignorer le problème. Le tribunal a reconnu qu'il n'y avait aucune relation entre Kasma et moi, et son plaidoyer pour « dispute conjugale » a été rejeté.

— Cela n'a-t-il pas ouvert les yeux à ton père ?

— Non. Kasma l'a convaincu que j'avais soudoyé le juge pour protéger ma réputation. Mais, au moins, j'avais obtenu une ordonnance restrictive. Sur le sol grec, j'étais tranquille.

Ebranlée par ces révélations, Tabby secoua la tête.

— Pourquoi ne m'avoir rien dit ? demanda-t-elle.

— J'avais honte de cette histoire, et je craignais de t'effrayer, répondit Acheron. Malgré ma fortune, j'étais à la merci des lubies de Kasma. Si tu savais comme je me suis senti impuissant lorsqu'elle a fait irruption à notre mariage ! Je ne voulais pas faire une scène devant la famille de mon père…

Sa mâchoire se crispa.

— Encore moins de son vivant. Elle lui faisait déjà assez de mal avec ses affabulations sur la façon odieuse dont je la traitais.

— Mais, alors, pourquoi voulait-il que tu l'épouses ? questionna Tabby, déconcertée.

— Il croyait qu'elle m'aimait et que je lui devais bien cela. Il me rendait responsable de son comportement de plus en plus hystérique.

— C'était plus facile pour lui que d'affronter le vrai problème, c'est-à-dire *elle*, murmura-t-elle en serrant sa main dans la sienne. S'il avait eu le temps d'apprendre à te connaître, il t'aurait fait confiance. Kasma avait l'avantage, et elle t'a fait subir un calvaire.

— C'est fini, maintenant, conclut Acheron. Son frère, Siméon, me croyait et a essayé de la convaincre de voir un psychologue. Si elle l'avait écouté, peut-être serait-elle encore en vie…

— Tu n'es pas responsable, affirma Tabby. Qu'aurais-tu pu faire de plus ?

— Serait-ce de la pitié ?

— Je crois seulement que tu as traversé une épreuve difficile, se reprit-elle maladroitement. Pas étonnant que tu te méfies des femmes collantes…

— Tu peux te coller à moi, si tu veux…

Tabby roula des yeux.

— Ton numéro de charme ne fonctionne pas avec moi.

— Que veux-tu dire ? demanda Acheron, alors qu'ils arrivaient à la villa.

— Nous ne sommes pas des âmes sœurs, Ash. Nous avions tous les deux de bonnes raisons de nous marier. Toi pour conserver ta société, et moi pour adopter légalement Amber, répondit-elle en descendant de la voiture.

Elle traversa le vestibule, puis le salon, jusqu'à la terrasse et sa vue splendide sur la crique. Si elle ne prenait pas les devants, son cœur se briserait pour de bon. Tout cela pour avoir fait semblant d'être en *vraie* lune de miel, avec son *vrai* mari ! Comment en était-elle arrivée là ? Comment avait-elle pu se laisser prendre au jeu au point de tomber amoureuse ?

— Il est grand temps de faire une mise au point, décréta-t-elle fermement.

— Quel genre de mise au point ?

Elle se tourna vers Acheron, qui l'avait suivie sur la terrasse. Seigneur ! Pourquoi fallait-il qu'il soit aussi sexy ? Son regard de braise lui donnait le vertige !

— Tabby ?

— Contrairement à toi, j'appelle un chat un chat, dit-elle après s'être éclairci la voix.

— C'est ce que j'aime chez toi. Ta franchise en toutes circonstances.

Elle ne se laissa pas fléchir.

— Allons droit au but. Mélinda nous espionnait, mais elle n'est plus là. Nous jouons les jeunes mariés depuis des semaines. Peut-être le moment est-il venu de reprendre une vie normale ?

— Une vie normale ? répéta-t-il d'un ton morne.

Bon sang, que lui arrivait-il ? se demanda Tabby. Cela ne lui ressemblait pas de rester en retrait lors d'une confrontation. Elle lui trouva l'air fatigué, tout à coup. Anxieux. Incertain.

— Nous sommes deux étrangers liés par un accord, lui rappela-t-elle. Maintenant que nous avons rempli nos rôles respectifs, nous pouvons arrêter de jouer la comédie. Au moins en privé.

— Est-ce ce que tu veux ? Qu'on revienne à notre point de départ ? dit-il, les poings crispés.

Ignorant l'étau qui lui comprimait la poitrine, elle leva le menton. Non, ce n'était pas ce qu'elle voulait. Elle le voulait, *lui*. Elle l'aimait, de toute son âme, mais devait à tout prix se protéger. Et cela signifiait accepter que ce qu'ils avaient vécu n'était que du vent…

— Je veux seulement que nous cessions de faire semblant, éluda-t-elle en réprimant un soupir.

— En ce qui me concerne, je n'ai jamais fait semblant, répliqua Acheron, les traits tendus.

Tabby se remémora tous les moments qu'ils avaient partagés, de sexe, de détente, de complicité… Le doute s'insinua en elle.

— Bien sûr que tu faisais semblant…

— Au début, peut-être. Puis tout est devenu réel.

— Quoi, tout ? demanda-t-elle, le cœur battant.

Il eut un haussement d'épaules presque résigné.

— Je suis tombé amoureux de toi.

Tabby faillit tomber à la renverse.

— Je ne te crois pas. Tu crains seulement de perdre ta société si je te quitte. Mais il n'y a pas de raison, assura-t-elle. Je ne ferai jamais cela. Je suis toujours aussi déterminée à adopter Amber, tu sais…

— Je dis « je t'aime » pour la première fois, et c'est tout ce que tu trouves à dire ? la coupa Acheron avec une véhémence qui la cloua sur place.

Etait-il sérieux ? N'essayait-il pas de la manipuler ou de lui jouer un tour infâme ? Muette de stupeur, elle le dévisagea en silence.

— Aucune réaction ? persista-t-il d'une voix crispée.

— Je suis sous le choc, balbutia Tabby. Je n'imaginais pas que tu avais des sentiments pour moi…

— Je les ai longtemps combattus, admit-il en secouant la tête. Ils devenaient si envahissants que j'ai préféré m'enfuir.

— T'enfuir ?

— Je ne comprenais pas ce qu'il m'arrivait. Alors j'ai prétexté ce voyage d'affaires pour prendre du recul. J'étais à peine parti que tu me manquais déjà…

Tabby cilla, partagée entre l'incrédulité et un bonheur indicible. Il l'aimait ! Il l'aimait, *elle* ! Elle se retint *in extremis* de se jeter à son cou.

— Tu t'es dégonflé, pas vrai ?

Il acquiesça.

— Quand j'ai compris ce qui ne tournait pas rond chez moi…

— Au contraire, tout était parfaitement en place, l'interrompit-elle. Tu m'aimes… et je t'aime aussi.

— Si tu ressens la même chose, pourquoi m'infliger un tel supplice ? lui reprocha Acheron.

Tabby réprima un éclat de rire.

— Est-ce un supplice de parler d'amour ?

— Oui, quand j'ignore si tu partages mes sentiments ! J'avais peur que ce qu'il y ait entre nous ne soit qu'une illusion.

— Non, c'est bien réel, dit-elle en se lovant contre lui. Ce qui signifie que nous sommes bel et bien mariés, n'est-ce pas ?

— Absolument.

Il la souleva dans ses bras et se dirigea vers l'escalier.

— Nous serons aussi de vrais parents adoptifs, car je me suis attaché à Amber. Il faut croire que l'amour est contagieux…

Tabby en était abasourdie. Comme il poussait la porte de leur chambre et la déposait sur le lit, elle plongea son regard dans le sien.

— Comment est-ce arrivé ? murmura-t-elle.

Il la contempla pensivement pendant ce qui lui parut une éternité.

— Tout a commencé quand j'ai compris quel genre de femme tu étais, répondit-il enfin. Une femme capable de tout sacrifier pour veiller sur son amie malade et son enfant. Ton altruisme et ta détermination ont forcé mon respect. Tu étais prête à tout pour garder Amber. J'avais beau te mener la vie dure, tu me défiais et me tenais tête…

— Et tu es tombé amoureux ?

— Follement, éperdument amoureux. J'ai pris conscience que je ne pouvais pas vivre sans toi, ajouta-t-il avec une tendresse qu'elle ne lui connaissait pas. Si tu avais persisté à vouloir divorcer, je ne sais pas ce que j'aurais fait.

— Divorcer ? Jamais de la vie ! Je te veux pour toujours…

— Vos désirs sont des ordres ! s'exclama-t-il en l'embrassant avec fougue.

Une heure plus tard, Acheron s'extirpa des draps, nu comme un ver, et fouilla dans la poche de son jean, dont il sortit un écrin de velours.

— Je sais que ton anniversaire n'est que demain, mais je ne peux plus attendre.

Tabby ouvrit la petite boîte et découvrit avec émerveillement une bague en forme de rose, ornée d'un rubis en son centre.

— Qu'en penses-tu ? Je l'ai fait dessiner à l'image de ton tatouage, car il me rappelle chaque jour combien tu es spéciale.

— C'est magnifique ! souffla Tabby, la voix enrouée par l'émotion.

Elle retira la bague d'émeraude de son annulaire et la remplaça par la nouvelle.

— Mais je ne suis pas spéciale, objecta-t-elle. Au contraire, je suis terriblement banale.

— Non. Tu es spéciale car, malgré les épreuves, tu as su garder un cœur ouvert. Tu aimes Amber et tu m'aimes, moi…

— Passionnément, souligna-t-elle avec un grand sourire. J'espère que tu ne seras pas fâché par ma dernière dépense…

— Toi ? Tu es la personne la plus raisonnable que je connaisse !

— Les gens changent, plaisanta-t-elle en espérant qu'il aimerait le stylo qu'elle avait acheté pour son anniversaire.

— Je t'aime, *agape mou*.

Son sourire empli de tendresse émut Tabby aux larmes.

Oui, il l'aimait. Contre toute attente, deux personnes que leurs préjugés opposaient avaient trouvé l'amour l'une auprès de l'autre. Les contes de fées existaient bel et bien, conclut-elle avec satisfaction. Et elle était bien décidée à savourer chaque seconde ce merveilleux bonheur qui lui était offert.

Epilogue

Tabby tenta de rentrer le ventre et fit la moue devant son miroir. Peine perdue : à un mois du terme, aucun vêtement de grossesse, même impeccablement coupé, ne camouflerait sa silhouette arrondie. Voilà qui lui apprendrait à être vaine…

Un sourire aux lèvres, elle descendit régler les derniers détails du goûter d'Amber, qui fêtait son quatrième anniversaire.

A peine était-elle entrée dans le salon qu'Andreus, son petit garçon de deux ans, lui sauta dans les bras. Elle grimaça un peu sous le poids de l'enfant dont les boucles de jais lui chatouillèrent le menton. Une fois de plus, il avait échappé à la surveillance de Teresa, devenue un membre à part entière de la famille.

Parfois, il semblait à Tabby que cette vie n'était qu'un rêve, qu'un seul battement de cils risquait à tout instant de dissiper. Puis elle contemplait Acheron et les enfants, et l'amour profond qui les unissait lui réchauffait le cœur.

Dire qu'il détestait les enfants lorsqu'ils s'étaient rencontrés ! Mais le charme d'Amber avait su éveiller sa fibre paternelle, au point de lui donner des idées. L'adoption de la fillette était à peine finalisée que Tabby attendait Andreus. Quant à la petite fille qui allait bientôt agrandir la famille, sa conception était plus accidentelle, fruit d'une étreinte torride sur la plage de leur villa sarde. Celle-ci, symbole de leur amour naissant, était devenue leur lieu de villégiature privilégié, et ils n'avaient pas tardé à y faire aménager quelques chambres supplémentaires.

La belle-mère d'Acheron, Ianthe, et ses deux fils avaient séjourné chez eux lors des funérailles de Kasma. Cette occasion, bien que tragique, avait permis à Ash de se rapprocher de la famille de son père. Ianthe avait admis s'être inquiétée de l'état psychologique de sa fille, mais Angelos avait toujours refusé de voir la réalité en face. Siméon, le frère de Kasma, et son épouse étaient eux aussi parents de jeunes enfants, et les deux couples s'étaient rapidement liés d'amitié.

Le bruit de la porte d'entrée attira l'attention d'Andreus qui se dégagea de l'étreinte de Tabby pour se précipiter dans le vestibule.

— Papaaa ! cria-t-il de toutes ses forces.

Tabby sourit en voyant Ash soulever le garçonnet dans ses bras. Elle ne l'aimait jamais autant que lorsqu'il était avec les enfants. C'était un père aimant, patient et attentionné — tout ce qui leur avait cruellement manqué à tous deux durant leur enfance.

— J'avais peur que tu n'arrives pas à temps…

— Où est la reine de la fête ? demanda-t-il avec un large sourire.

Rayonnante dans sa robe neuve à volants, Amber dévala l'escalier et se jeta au cou de son père avec le même enthousiasme que son petit frère.

— Tu es là ! s'exclama-t-elle. Tu es revenu pour ma fête !

— Bien sûr, répondit Ash.

Alors qu'il sortait un paquet de derrière son dos, une amie d'Amber arriva, et les deux fillettes filèrent en courant.

Ash éclata de rire.

— Moi qui me croyais le héros du jour !

— Tu l'es pour moi, assura Tabby en l'embrassant.

Il la regarda s'éloigner pour accueillir les premiers invités.

Tabby. Sa douce et précieuse Tabby, toujours vive, chaleureuse et aimante…

Il était le plus chanceux des hommes de l'avoir trouvée.

Et chaque année qui passait renforçait encore son amour pour elle.

collection Azur

Ne manquez pas, dès le 1er février

***UNE EXQUISE PROVOCATION**, Melanie Milburne • N°3555*

Depuis le jour où elle a été recueillie, adolescente, par la mère de James Challender, Aiesha a passé sa vie à provoquer ce dernier. Elle sait exactement comment faire entrer cet homme, si maître de lui en toute circonstance, dans une colère folle, et ne s'en prive pas… car c'est son seul mécanisme de défense contre le trouble étrange qu'il éveille en elle. Mais quand sa dernière provocation – inventer qu'ils ont une aventure –, les oblige à cohabiter pendant trois semaines dans un château isolé de la campagne écossaise, Aiesha sent l'angoisse l'envahir. Si James ne cache pas le mépris qu'elle lui inspire, elle lit aussi dans son regard un désir fou. S'il se décide à céder à cette brûlante passion, saura-t-elle lui résister ?

***UN RISQUE INSENSÉ,** Carol Marinelli • N°3556*

Comment a-t-elle pu prétendre qu'elle était experte en transactions immobilières, alors que sa seule expérience se limite à la vente de la ferme familiale ? Sur le moment, Alina pensait seulement enjoliver la vérité dans l'espoir d'obtenir, enfin, un poste d'assistante. Depuis que sa famille a tout perdu et qu'elle a dû abandonner sa passion pour la peinture, n'a-t-elle pas toutes les peines du monde à trouver un emploi stable ? Mais maintenant, face aux exigences de l'impérieux – et bien trop séduisant – Demyan Zukov, elle sent l'angoisse l'envahir. Si cet homme impitoyable découvre qu'elle a menti, elle n'ose même pas imaginer ce qu'il adviendra d'elle - et de son avenir...

***A LA MERCI D'UN HOMME D'AFFAIRES**, Lynn Raye Harris • N°3557*

Enfant Secret

Jamais Holly n'a oublié la nuit magique qu'elle a passée un an plus tôt dans les bras de Drago Di Navarra… ni la cruauté avec laquelle il l'a rejetée au matin, brisant non seulement son cœur mais aussi tous ses rêves d'avenir : n'était-elle pas venue à New York pour lui présenter le parfum qu'elle avait créé et dont elle était si fière ? Aussi, lorsque le hasard remet cet homme odieux sur sa route, et qu'il lui propose une importante somme d'argent pour devenir l'égérie de sa marque, le premier réflexe d'Holly est de refuser. Mais comment le pourrait-elle alors qu'elle doit absolument gagner sa vie ? Pas seulement pour elle, mais pour Nicky, son fils de trois mois, au regard aussi brun que celui de Drago...

UN REFUGE EN IRLANDE, Cathy Williams • *N°3558*

Des parents adoptifs aimants, une carrière fulgurante et les plus belles femmes de Londres dans son lit… Leo Spencer sait qu'il a une vie de rêve. Pourtant, une douloureuse question le hante : pourquoi sa mère biologique l'a-t-elle abandonné à la naissance ? C'est pour y répondre qu'il a entrepris, incognito, le voyage jusqu'au village isolé de la campagne irlandaise où elle vit. Ce qu'il n'avait pas prévu, c'est qu'une tempête de neige le forcerait à trouver refuge pour quelques jours dans le pub du village. Un pub dont la gérante, la belle et distante Brianna, éveille immédiatement en lui un désir fou. Pourquoi ne pas profiter de ce séjour sous une fausse identité pour s'offrir une aventure avec cette femme, si différente de ses maîtresses habituelles ?

UN DÉLICIEUX INTERDIT, Maggie Cox • *N°3559*

Aider des célébrités ou de richissimes milliardaires dans leurs tâches quotidiennes, c'est le travail de Kit. Un travail qu'elle aime et s'enorgueillit de faire avec passion et compétence. Mais le jour où elle est envoyée par l'agence qui l'emploie chez Henry Treverne, un célèbre homme d'affaires victime d'un accident de ski, Kit sent une angoisse inconnue l'envahir. Jamais elle n'a ressenti un tel trouble face à un homme. Un trouble auquel il lui est interdit de céder. Non seulement Henry est un client, mais c'est aussi un séducteur invétéré et un play-boy notoire. Exactement le genre d'homme sous le charme duquel elle a juré de ne jamais tomber…

L'INCONNU D'UNE NUIT D'ÉTÉ, Christy McKellen • *N°3560*

Josie est terrorisée. Qui est cet homme à la stature athlétique qui s'est introduit en pleine nuit dans la maison qu'Abigail, son associée, lui prête pour les vacances ? Son soulagement est de courte durée quand l'inconnu lui révèle son nom : Connor Preston – le frère d'Abigail. Car celui-ci ne semble pas prêt à renoncer à son séjour sous prétexte qu'elle occupe déjà la maison ! Et comment l'obliger à partir, alors qu'il est chez lui ? Elle qui avait tant besoin de calme pour travailler et faire le point sur sa vie, la voilà contrainte de cohabiter avec cet homme qui éveille en elle un trouble brûlant…

UNE ÉPOUSE REBELLE, Susanna Carr • *N°3561*

Le cœur en miettes mais plus résolue que jamais, Tina se tient devant la porte de la somptueuse demeure qui fut, pendant quelques mois, la sienne. Avant qu'elle ne comprenne que ce qu'elle avait pris pour de l'amour n'était que du désir, et que son mariage avec Dev n'était qu'un poids pour ce dernier. Brisée, Tina a d'abord pris la fuite. Mais aujourd'hui, après quatre longs mois de silence, elle est là pour rendre sa liberté à son époux et, surtout, reprendre la sienne ainsi que le cours de sa vie. Aussi, qu'elle n'est pas sa surprise – et sa colère – quand Dev, plus beau et plus inflexible que jamais, lui annonce d'une voix glaciale qu'il refuse de divorcer.

UN SI SÉDUISANT DÉFI, Jennifer Hayward • *N°3562*

- Trois héritiers à aimer - 2ème partie

Organiser l'événement mondain de la décennie en moins de trois semaines? Alex sait qu'elle en est capable. Personne mieux qu'elle ne saura faire du lancement du dernier cru du vignoble De Campo la fête la plus inoubliable qui soit. N'est-ce pas l'occasion qu'elle attendait de prouver au monde – et surtout à elle-même – qu'elle a définitivement tracé un trait sur sa fougueuse jeunesse pour devenir une jeune femme efficace et raisonnable ? Sauf que les émotions qu'éveille en elle Gabe De Campo, le tout puissant directeur des vins De Campo, n'ont rien de raisonnable...

L'HÉRITIÈRE DU DÉSERT, Sharon Kendrick • *N°3563*

- Les secrets du désert - 2ème partie

Une armée de serviteurs, des bijoux plus somptueux les uns que les autres, et… une absence totale de liberté : voilà le quotidien de Leila, la sœur unique du sultan de Quhrah. Aussi, quand elle apprend que Gabe Steel, un célèbre homme d'affaires britannique, a été invité par son frère à passer quelques jours dans le sultanat, elle décide, sur une folle impulsion, d'échapper à ses gardes du corps et de s'introduire dans sa chambre d'hôtel pour lui montrer son travail de photographe. Peut-être parviendra-t-elle à le convaincre de l'engager dans son agence de publicité ? Mais à peine Gabe Steel lui ouvre-t-il la porte, qu'elle sent un trouble inconnu l'envahir. Seule dans la chambre de cet homme au charisme fou, est-elle sur le point de commettre une folie ?

UN PLAN SI PARFAIT, Tara Pammi • *N°3564*

Depuis la mort de leurs parents, Nikos Demakis prend soin de sa jeune sœur, et il est hors de question qu'il la laisse gâcher sa vie avec un aventurier uniquement attiré par son héritage ! Alors, pour briser ces désastreuses fiançailles – et prouver par la même occasion à son grand-père qu'il est capable de gérer les affaires familiales –, Nikos a un plan : convaincre Lexi Nelson, la jeune femme qui partageait quelques mois plus tôt la vie de ce coureur de dot, de revenir dans la vie de ce dernier. Mais à peine pose-t-il les yeux sur Lexi qu'il sent un désir fou l'envahir. S'il parvient à la convaincre de lui venir en aide, supportera-t-il d'observer l'idylle entre la jeune femme et le fiancé de sa sœur renaître sous ses yeux ?

Attention, numérotation des livres différente pour le Canada : numéros 1978 à 1985.

www.harlequin.fr

A paraître le 1er janvier

Best-Sellers n°627 • suspense

Mystère en eaux profondes - Heather Graham

Un luxueux cargo englouti depuis plus d'un siècle au fond du lac Michigan. A son bord, un somptueux trésor : le sarcophage sacré d'un grand prêtre égyptien…

Les malédictions, l'agent Kate Sokolov n'y croit pas. Alors, quand on la charge d'enquêter sur une série de meurtres ayant tous un lien avec l'épave du Jerry McGuen – un galion échoué dans les eaux glaciales du lac Michigan – et qui seraient, selon la rumeur, l'œuvre d'un fantôme, elle se fait la promesse de mettre un terme aux agissements du tueur au plus vite. Elle qui possède le don si particulier de communiquer avec les morts, est en effet bien placée pour savoir que ces assassinats n'ont en aucun cas été commis par un revenant. Un avis partagé par Will Chan, un expert du FBI qu'on lui a assigné comme partenaire sur cette affaire et qui trouble Kate au plus haut point. Car, en plus de faire preuve à son égard d'une horripilante arrogance, il lui révèle bientôt avoir le même don qu'elle…

Best-Sellers n°628 • suspense

La marque écarlate - Virna DePaul

L'embaumeur. Carrie s'est fait la promesse d'arrêter ce psychopathe qui, depuis deux ans, embaume le corps de jeunes femmes encore vivantes et envoie des photos de son œuvre à la police, comme s'il s'agissait de trophées. Si elle veut avant tout empêcher le meurtrier de frapper de nouveau, pour Carrie, l'enjeu est aussi personnel. C'est son premier cas de tueur en série, et l'occasion qu'elle attendait de faire ses preuves dans l'univers si masculin de la brigade spéciale d'investigation de San Francisco. Même si cela signifie aussi, hélas, qu'elle va devoir travailler avec l'agent Jase Tyler. Un homme qu'elle a toutes les raisons de détester – n'a-t-il pas émis des doutes sur sa capacité à diriger l'enquête ? – mais dont la seule présence éveille en elle un désir profond, brut et incontrôlable...

Best-Sellers n°629 • suspense

Au cœur de la vengeance - B. J. Daniels

Ginny, la petite sœur qu'il adorait, gisant morte dans un fossé…

Depuis onze ans, Rylan West est hanté par cette image terrible, insoutenable. Et, depuis onze ans, il n'a qu'une obsession : tuer Carson Grant, l'homme qui – il en est persuadé – est l'assassin de sa sœur. Aujourd'hui, enfin, il tient sa vengeance. Car Carson vient de refaire surface à Beartooth, le petit village ancré au cœur du Montana où ils ont grandi…

Mais c'est alors que Destry Grant, la jeune fille fougueuse et terriblement attachante dont il était fou amoureux avant le drame, lui apprend, bouleversée, qu'une nouvelle preuve vient d'être découverte. Il faut la croire, répète-t-elle, quand elle affirme que son frère est innocent. Et, si Rylan accepte son aide, elle est prête à reprendre l'enquête avec lui pour découvrir qui est vraiment le meurtrier de Ginny…

Best-Sellers n°630 • érotique
Le secret - Megan Hart

Les regards lourds de désir d'un inconnu dans un bar, les caresses fiévreuses échangées à la hâte, le plaisir vite pris, et vite oublié… Jusqu'où Elle Kavanagh est-elle prête à se perdre ?

Pour fuir son passé et son terrible secret, Elle Kavanagh s'est jetée à corps perdu dans des aventures sans lendemain, multipliant les rencontres furtives et dénuées de sentiments avec des inconnus qu'elle ne revoit jamais. Mais l'irruption de Dan Stewart dans sa vie va tout changer. Pour la première fois, un homme qui lui plaît pourtant de manière insensée refuse le corps qu'elle lui offre. Et lui annonce qu'il ne couchera avec elle que si elle accepte de le revoir. Même si ce n'est que pour du sexe…

Best-Sellers n°631 • historique
Conquise par un gentleman - Kasey Michaels

Londres, 1816

Depuis qu'elle a appris la mort de son fiancé à Waterloo, Lydia pensait qu'elle ne pourrait plus jamais aimer. Son grand amour était tombé au champ d'honneur, et tous ses espoirs avec lui. Recluse dans la demeure familiale d'Ashurst Hall, elle mène depuis ce drame une existence paisible, égayée par le prévenant Tanner, le meilleur ami de son défunt fiancé, qui a juré de veiller sur elle. Mais contre toute attente — et surtout contre toute morale — elle sent monter un trouble de plus en plus fort pour ce confident si attentif, et si séduisant. Se pourrait-il qu'elle nourrisse des sentiments à l'égard d'un homme qui était comme un frère pour son fiancé ? N'est-ce pas une trahison envers la mémoire de ce dernier ? Et Tanner, est-ce seulement par devoir qu'il lui accorde tous ces moments d'intimité, qui les rapprochent au fil des jours ? Elle doit absolument réprimer ses émotions, Lydia le sait : même si son désir était partagé, rien ne pourrait arriver entre eux. Car Tanner est fiancé à une autre...

Best-Sellers n°632 • thriller
L'automne meurtrier - Andrea Ellison

Par une sombre soirée d'octobre, le lieutenant Taylor Jackson est appelée sur plusieurs scènes de crime dans un quartier chic de Nashville. Sur place, elle découvre les corps sans vie de sept adolescents, marqués de symboles occultes. Une vision d'horreur qui obsède Taylor, partagée entre colère et angoisse à l'idée que le tueur puisse frapper de nouveau. Elle doit agir vite, très vite. Mais aussi avec prudence, car le meurtrier est manifestement aussi incontrôlable qu'imprévisible. Or, Taylor a beau se concentrer de toutes ses forces sur le peu d'indices dont elle dispose – les dessins mystiques laissés sur les corps des victimes –, l'enquête piétine.

Déterminée, elle plonge alors dans les ténèbres de cette affaire macabre. Au risque de voir son équilibre menacé, malgré le soutien que lui apporte Jack Baldwin, le brillant profileur du FBI avec qui elle est fiancée. Car c'est le prix à payer pour comprendre comment un être machiavélique, animé d'une rage débridée, en arrive à commettre de telles atrocités. Et, pour trouver le tueur, elle devra d'abord s'en approcher…

www.harlequin

OFFRE DE BIENVENUE

? romans Azur gratuits et 2 cadeaux surprise !

ous êtes fan de la collection Azur ? Pour prolonger le plaisir, recevez gratuitement **romans Azur et 2 cadeaux surprise !**

ne fois votre colis de bienvenue reçu, si vous souhaitez continuer à recevoir nos omans Azur, cela se fera automatiquement. Vous recevrez alors chaque mois 6 mans inédits de cette collection au tarif unitaire de 4,25€ (Frais de port France : ,75€ - Frais de port Belgique : 3,75€).

Vous n'avez aucune obligation d'achat et cette offre est sans engagement de durée !

Les bonnes raisons de s'abonner :

Aucun engagement de durée ni de minimum d'achat.
Vos romans en avant-première.
La livraison à domicile.

Et aussi des avantages exclusifs :

Des cadeaux tout au long de l'année qui récompensent votre fidélité.
Des réductions sur vos romans par le biais de nombreuses promotions.
Des romans exclusivement réédités pour nos abonné(e)s notamment des sagas à succès.
L'abonnement systématique à notre magazine d'actu ROMANCE (2 dans l'année).
Des points cadeaux pouvant être échangés contre des livres ou des cadeaux.

Rejoignez-nous vite en complétant et en nous renvoyant le bulletin !

ZZ5F09
ZZ5FB1

° d'abonnée (si vous en avez un) ☐☐☐☐☐☐☐☐

me ☐ Mlle ☐ Nom : .... Prénom : ....

dresse : ....

P : ☐☐☐☐☐ Ville : ....

ays : .... Téléphone : ☐☐☐☐☐☐☐☐☐☐

mail : ....

ate de naissance : ....

Oui, je souhaite être tenue informée par e-mail de l'actualité des éditions Harlequin.
Oui, je souhaite bénéficier par e-mail des offres promotionnelles des partenaires des éditions Harlequin.

envoyez cette page à : Service Lectrices Harlequin – BP 20008 – 59718 Lille Cedex 9 - France

te limite : **31 décembre 2015**. Vous recevrez votre colis environ 20 jours après réception de ce bon. Offre soumise à ceptation et réservée aux personnes majeures, résidant en France métropolitaine et Belgique. Prix susceptibles de dification en cours d'année. Conformément à la loi Informatique et libertés du 6 janvier 1978, vous disposez d'un droit ccès et de rectification aux données personnelles vous concernant. Il vous suffit de nous écrire en nous indiquant vos n, prénom et adresse à : Service Lectrices Harlequin - BP 20008 - 59718 LILLE Cedex 9. Harlequin® est une marque posée du groupe Harlequin. Harlequin SA – 83/85, Bd Vincent Auriol – 75646 Paris cedex 13. Tél : 01 45 82 47 47. SA au capital de 1 120 000€ C. Paris. Siret 31867159100069/APE5811Z.

Des romans à lire gratuitement sur notre site.
Découvrez, chaque lundi et chaque jeudi,
un nouveau chapitre sur

www.harlequin.fr

OFFRE DÉCOUVERTE !

2 ROMANS GRATUITS et 2 CADEAUX surprise !

Vous souhaitez découvrir nos collections ? Recevez **2 romans gratuits et 2 cadeaux surprise !**

Une fois votre colis de bienvenue reçu, si vous souhaitez continuer à recevoir nos romans, cela se fera automatiquement. Vous recevrez alors chaque mois vos romans inédits en avant première.

Vous n'avez aucune obligation d'achat et cette offre est sans engagement de durée !

☛ COCHEZ la collection choisie et renvoyez cette page au
Service Lectrices Harlequin – BP 20008 – 59718 Lille Cedex 9 – France

Collections	Références	Prix colis France* / Belgique*
❑ **AZUR**	ZZ5F56/ZZ5FB2	6 romans par mois 27,25€ / 29,25€
❑ **BLANCHE**	BZ5F53/BZ5FB2	3 volumes doubles par mois 22,84€ / 24,84€
❑ **LES HISTORIQUES**	HZ5F52/HZ5FB2	2 romans par mois 16,25€ / 18,25€
❑ **BEST SELLERS**	EZ5F54/EZ5FB2	4 romans tous les deux mois 31,59€ / 33,59€
❑ **BEST SUSPENSE**	XZ5F53/XZ5FB2	3 romans tous les deux mois 24,45€ / 26,45€
❑ **MAXI****	CZ5F54/CZ5FB2	4 volumes triples tous les deux mois 30,49€ / 32,49€
❑ **PASSIONS**	RZ5F53/RZ5FB2	3 volumes doubles par mois 24,04€ / 26,04€
❑ **NOCTURNE**	TZ5F52/TZ5FB2	2 romans tous les deux mois 16,25€ / 18,25€
❑ **BLACK ROSE**	IZ5F53/IZ5FB2	3 volumes doubles par mois 24,15€ / 26,15€

*Frais d'envoi inclus

**L'abonnement Maxi est composé de 2 volumes Edition spéciale et de 2 voulmes thématiques

N° d'abonnée Harlequin (si vous en avez un) ___________

Mme ❒ Mlle ❒ Nom : ___________

Prénom : ___________ Adresse : ___________

____

Code Postal : ______ Ville : ___________

Pays : ___________ Tél. : ___________

E-mail : ___________

Date de naissance : ___________

❒ Oui, je souhaite recevoir par e-mail les offres promotionnelles des éditions Harlequin.
❒ Oui, je souhaite recevoir par e-mail les offres promotionnelles des partenaires des éditions Harlequin.

Date limite : 31 décembre 2015. Vous recevrez votre colis environ 20 jours après réception de ce bon. Offre soumise à acceptation et réservée aux personnes majeures, résidant en France métropolitaine et Belgique, dans la limite des stocks disponibles. Prix susceptibles de modification en cours d'année.Conformément à la loi Informatique et libertés du 6 janvier 1978, vous disposez d'un droit d'accès et de rectification aux données personnelles vous concernant. Par notre intermédiaire, vous pouvez être amenée à recevoir des propositions d'autres entreprises. Si vous ne le souhaitez pas, il vous suffit de nous écrire en nous indiquant vos nom, prénom et adresse à : Service Lectrices Harlequin BP 20008 59718 LILLE Cedex 9. Service Lectrices disponible du lundi au vendredi de 8h à 17h : 01 45 82 47 47 ou 33 1 45 82 47 47 pour la Belgique.

Devenez *fan*

Rejoignez notre *communauté*

Infos en avant-première, promos exclusives, jeux-concours, partage...
Toute l'actualité sur les réseaux sociaux et sur

www.harlequin.fr

LesEditionsHarlequin

@harlequinfrance

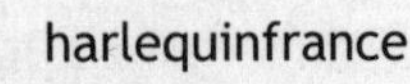

harlequinfrance

Composé et édité par HARLEQUIN

Achevé d'imprimer en décembre 2014

Barcelone

Dépôt légal : janvier 2015

Pour l'éditeur, le principe est d'utiliser des papiers composés de fibres naturelles, renouvelables, recyclables, et fabriquées à partir de bois issus de forêts qui adoptent un système d'aménagement durable. En outre, l'éditeur attend de ses fournisseurs de papier qu'ils s'inscrivent dans une démarche de certification environnementale reconnue.

Imprimé en Espagne